D1378158

De la même auteure
chez le même éditeur

Tête-à-tête avec son ange gardien, 1996
Le secret de la prospérité: la spiritualité, 1997

L'essentiel :
l'estime de soi

Catalogage avant publication de la Bibliothèque nationale du Canada

LeBon, Violette

L'essentiel: l'estime de soi

Nouv. éd.

(collection Psychologie)

ISBN: 2-7640-0757-4

1. Estime de soi. 2. Amour. 3. Connaissance de soi. 4. Intériorisation.
I. Titre. II. Collection: Collection Psychologie (Éditions Quebecor).

BF697.5.S46L39 2003   155.2   C2003-940572-9

LES ÉDITIONS QUEBECOR
7, chemin Bates
Outremont (Québec)
H2V 4V7
Tél.: (514) 270-1746

© 2003, Les Éditions Quebecor, pour la présente édition
Bibliothèque nationale du Québec
Bibliothèque nationale du Canada

Éditeur: Jacques Simard
Coordonnatrice de la production: Dianne Rioux
Conception de la couverture: Bernard Langlois
Photo de la couverture: Tom Collicott / Masterfile
Révision: Sylvie Massariol
Correction d'épreuves: Jocelyne Cormier
Infographie: JFO Design

Nous reconnaissons l'aide financière du gouvernement du Canada par l'entremise du Programme d'Aide au Développement de l'Industrie de l'Édition pour nos activités d'édition.

Gouvernement du Québec – Programme de crédit d'impôt pour l'édition de livres – Gestion SODEC.

Violette LeBon

L'essentiel :
l'estime
de soi

LES ÉDITIONS
Quebecor
QUEBECOR MEDIA

À mes frères et sœurs humains en quête d'amour inconditionnel.

Remerciements

Je veux rendre hommage ici à tous les enseignants de ma vie qui, par leur manière d'être avec moi, ont contribué à l'estime que j'ai de moi-même en reconnaissant ma valeur personnelle. Je rends aussi hommage à tous les précieux enseignants de la terre qui ont validé l'essence divine des âmes qui leur étaient confiées.

Je suis tout particulièrement reconnaissante au Dieu d'amour qui m'habite de m'avoir permis d'écrire ce livre sur l'estime de soi. Tout au long de ce processus de créativité, j'ai expérimenté Sa douce présence encourageante qui m'accompagnait de Ses lumières divines et de Son amour inconditionnel.

Je remercie mes parents, Gracia et Lucien, qui m'ont tout particulièrement validée dans ce que j'étais comme enfant et qui m'ont toujours encouragée à me dépasser en étant exigeants envers moi. Je leur suis reconnaissante des valeurs importantes qu'ils m'ont transmises: par leur exemple, ils m'ont enseigné le courage, la détermination, la persévérance, l'espoir, l'amour et les bienfaits de l'engagement et de l'intégrité.

Merci à tous les professeurs des écoles d'enseignement que j'ai fréquentées; ils m'ont fait découvrir les joies d'apprendre. Merci aussi à mes guides préférés en tant qu'adulte: Claude Moisan, Jacques Lalanne, Werner Erhard, Nicholas Economo et plusieurs autres; ils m'ont encouragée à me connaître davantage. Merci à tous mes professeurs de la Unity

School of Christianity qui, par leur vision enthousiasmante de la vie spirituelle, m'ont fait découvrir la présence dans ma vie d'un Dieu qui m'aimait inconditionnellement et qui me voulait heureuse et comblée.

Merci à mes enfants, Dany, Dominique et Jacques, ces maîtres-enseignants précieux qui m'ont permis d'apprendre et d'expérimenter dans le quotidien ce qu'était l'amour inconditionnel. Merci à mes frères et sœurs, à mes amoureux, à mon ex-mari, à mes amies et amis, à mes compagnes et compagnons de travail qui, en tant que mes «miroirs pleine longueur» , ont reflété tout au long de ma vie si fidèlement mes qualités et mes défauts.

Merci également à tous les participants de mes ateliers de connaissance de soi qui, pendant plus de vingt ans, m'ont permis de donner ce que j'avais reçu et l'ont fait fructifier en transformant la qualité de leur vie.

Merci enfin à mon bon ami Joël Legendre, qui m'a accompagnée de son amitié précieuse tout au long de ce voyage autour de l'estime que j'ai de moi-même.

Note: Dans ce livre, le masculin est employé uniquement dans le but d'alléger le texte.

Préface

Qu'est-ce que la violette représente pour vous? Une fleur, je présume! C'est aussi ce que je répondais jusqu'au jour où, il y a déjà presque quinze ans, j'ai fait la rencontre d'une autre sorte de violette: la Violette LeBon. Ce fut le coup de foudre! Mais attention, je parle ici d'un coup de foudre spirituel, qui est plutôt rare mais tellement plus durable.

C'était aux débuts des années 80. Violette avait alors fondé le Centre de Formation Jonathan le Goëland où elle y animait ses ateliers en connaissance de soi. Lors d'une soirée d'information, j'ai été tout simplement conquis par la personnalité enthousiasmante de Violette et par le contenu de ses sessions. À partir de ce soir mémorable, je passai la fin de mon adolescence non pas dans les bars ou les discothèques comme la plupart de mes camarades, mais bien à son centre. Les enseignements de Violette furent ma drogue: c'est dans ces salles de cours que je pris ma première «puff» de puissance intérieure et où je fis mes premières expériences... spirituelles, bien sûr.

Je suis très reconnaissant à Dieu pour cette rencontre, ce rendez-vous divin, comme elle les appelle. Elle a changé mon existence d'alors et m'a donné les outils nécessaires pour que je puisse me créer une vie exceptionnellement satisfaisante et riche d'expériences enthousiasmantes.

J'ai toujours suivi le cheminement de Violette, mais, depuis un an, la vie nous a rapprochés davantage. J'ai vieilli, Violette a rajeuni et nous avons laissé tomber ce rapport élève-enseignant qui nous encombrait. Nous nous voyons une fois par semaine, et c'est maintenant une relation d'amitié, de partage et de complicité qui nous lie l'un à l'autre.

J'ai donc été témoin, tout au long de cette dernière année, du processus de création de ce livre. Écrire sur l'estime de soi est un défi de taille. Pour y arriver, Violette a dû commencer par inventorier, entre autres, les couches de honte, de culpabilité et de manque de confiance en soi qui camouflaient l'estime qu'elle devrait avoir pour elle-même.

Encore une fois, grâce à Violette et au courage exemplaire qu'elle déploie dans l'introspection des profondeurs de son âme, j'ai pu explorer ce thème moi aussi, semaine après semaine, dans la douceur et l'amour.

Violette vous suggère une vraie belle aventure: un voyage toutes dépenses payées dont la destination est l'estime de soi! Pour y arriver, elle vous sert de guide dans une visite de l'enfance, lieu de prédilection pour découvrir l'origine de l'estime que nous avons pour nous-même maintenant.

Ce livre est un voyage vers l'amour de soi par la reconnaissance, la validation et le pardon des blessures. Lorsque j'ai tourné la dernière page de ce livre, c'est une page de ma vie que je venais de tourner, avec la satisfaction d'un guerrier pacifique, l'expérience de la fragilité de mon enfant intérieur et l'admiration de qui je suis vraiment.

J'aime inconditionnellement la femme qu'est Violette. Encore une fois, elle a contribué à ce que je fasse de moi une meilleure personne, c'est-à-dire un être humain plus aimant, plus authentique, plus intègre et plus heureux. N'est-ce pas là le principal objectif de notre passage sur cette magnifique planète qu'est la Terre?

Merci de parfumer ma vie, Violette. Je t'aime.

Joël Legendre

Introduction

Écrire sur l'estime de soi demande du courage et, je dirais même, un certain culot. Et... j'ai les deux! Lorsque j'ai choisi de traiter de ce thème, mon ego m'a répété sarcastiquement à plusieurs reprises: «Mais, pour qui tu te prends, au juste?» Je suis glissée, bien sûr, dans le doute de ma compétence en la matière et j'ai pensé qu'il serait préférable d'attendre de m'aimer davantage avant de relever un tel défi. Je me suis rendu compte après six mois d'hésitation et, conséquemment, de perte d'estime de moi-même, que j'avais donné le pouvoir à mon ego d'éteindre ce désir important de mon cœur: approfondir le sujet.

Malgré les protestations de mon ego, insulté que je ne suive pas son conseil, j'ai quand même commencé à écrire. Après quelque temps, j'ai découvert que j'avais suffisamment d'estime de moi-même pour risquer cette aventure qui me demande de me dépasser. De plus, je sais par expérience qu'en cours de route, j'apprendrai d'importantes leçons de vie pour mon évolution personnelle. Je me rassure aussi en me répétant cet axiome qui dit qu'on enseigne le mieux ce qu'on a le plus besoin d'apprendre ou d'approfondir.

Ayant franchi ce bout de vie qu'on appelle l'âge d'or (d'or?... ce n'est pas toujours évident!), je me retrouve en situation idéale de non-performance pour vérifier le degré d'amour que je me porte et l'importance de l'estime de soi pour ma qualité de vie présente.

En observant autour de moi, en devenant de plus en plus consciente de ce qui est véhiculé et de mon vécu, je découvre, entre autres choses, que ce temps de la vie n'est pas tout particulièrement propice à la valorisation de soi. Mais les aînés n'ont pas l'exclusivité des épreuves pour parfaire l'estime qu'ils ont pour eux-mêmes: tout au long de notre existence, nous avons des examens de vie pour vérifier où nous en sommes par rapport à l'estime que nous nous portons.

Malgré nos plus grands exploits et nos plus beaux jours de gloire, tous, nous avons eu au cours de nos vies nos moments de doute, de confusion, d'hésitation et d'invalidation sur ce que nous sommes. En tant qu'être humain, personne n'est à l'abri de ces expériences de vie douloureuses et toujours nécessaires à notre évolution.

Toutefois, quand nous nous rendons compte que ces états d'âme souffrants se sont installés dans notre monde intérieur, c'est notre responsabilité de nous ouvrir à des informations et à des enseignements qui nous permettront d'élever notre niveau de conscience. Il nous sera alors possible d'abandonner nos habitudes négatives et destructrices de joie de vivre, de santé et de succès.

En fait, ce livre traite de notre raison d'être sur cette terre, qui est d'apprendre à aimer: s'aimer d'abord afin de pouvoir mieux aimer les autres, pour enfin consentir à se laisser aimer. Voilà notre «mission héroïque», comme l'appelle l'écrivain Wayne Dyer. Cela peut vous sembler un peu prétentieux comme qualificatif, mais, si vous avez en main ce livre, vous avez sans doute assez vécu pour savoir que notre recherche d'amour est une aventure pour le moins héroïque parce que périlleuse; c'est toute notre vie qui est en jeu!

Bien sûr, je n'inventerai rien au sujet de l'amour. Toutes les religions l'enseignent, et les psychologues le proclament: nous l'avons lu, nous l'avons entendu, nous l'avons étudié, nous en avons parlé, discuté... mais, pour la majeure partie d'entre nous, il est encore bien difficile d'expérimenter un amour inconditionnel authentique envers nous-même et les autres.

Toutes les grandes vérités sont simples, mais pas nécessairement faciles à appliquer. Avoir entendu parler d'une vérité, l'avoir lue ou étudiée n'a jamais changé la qualité de vie de qui que ce soit; c'est la pratique de cette vérité et son intégration dans la vie quotidienne qui font foi de tout.

En tant qu'auteure, je pourrais résumer le sujet en une seule phrase, quelque chose comme: «L'essentiel, c'est l'estime de soi: s'aimer soi-même et avoir une haute estime de soi sans orgueil ni prétention, c'est se reconnaître pour ce que nous sommes vraiment: des enfants de Lumière, des héritiers divins de notre Dieu Père/Mère tout-puissant qui est avant tout Amour inconditionnel.»

Je doute fort que mon éditeur consente à jouer à ce jeu et il est peu probable que j'établisse des records d'édition avec une telle formule!

Nous avons bien besoin d'expliquer et qu'on nous explique. Puisqu'il le faut, je m'exécute. Il est vrai que la Vérité a plusieurs facettes et qu'une vérité qu'on découvre en cache souvent une autre plus profonde et plus confrontante. Il faut bien avouer aussi que, souvent, nous ne sommes pas très ouverts aux vérités dérangeantes qui remettent en question nos sacro-saintes certitudes, que nous percevons comme des gages de sécurité.

Il y a plusieurs années, j'ai pris l'entière responsabilité d'être ce qu'on appelle dans le milieu «un agent de changement», ce qui ne me donne pas nécessairement la reconnaissance ni l'approbation de mon entourage! Il est très rare que les agents de changement gagnent des concours de popularité!

Les personnes engagées qui ont fait une différence importante dans l'évolution du monde n'ont pas demandé à leurs auditoires ce qu'ils voulaient entendre: elles ont dit avec courage ce qu'elles avaient à dire. Comme elles, qui sont mes modèles, et même si j'aime bien qu'on apprécie ce que je fais, je ne m'empêcherai pas de partager mes valeurs et mes opinions sous prétexte de plaire à l'élite ou à la masse. De toute façon, je doute fort que les gens qui font partie de ces deux catégories soient vraiment intéressés à ce que j'ai à partager comme message.

Ce livre sans prétention s'adresse à des gens qui sont assez humbles pour reconnaître les limites de leur condition humaine, qui sont ouverts à apprendre et qui, comme moi, acceptent d'expérimenter certains problèmes existentiels. Ces attitudes de personnes imparfaites sont très mal vues des «arrivés, spirituels et matérialistes,» de notre société si mal en point, où les jeux du **faire** et du **paraître** définissent **l'être**.

Après un divorce qui a été un tournant important de ma vie, j'ai d'abord étudié, et j'ai ensuite choisi comme activité professionnelle d'animer des ateliers de connaissance de soi. Pendant plus de vingt ans, j'y ai traité à peu près tous les sujets pertinents à la qualité de vie humaine, et ce, à des personnes âgées entre 8 et 80 ans (le superbrave de 80 ans, c'est mon père!). En faisant la synthèse de ce que j'ai enseigné et de ce que j'ai appris des participants, j'ai pris conscience et confirmé que, quels que soient les sujets traités, les événements concrets des différentes périodes de nos vies parlent toujours très fort de l'estime que nous avons pour nous-même à ces moments précis de notre existence.

Mes expériences d'animation avec des milliers de gens m'ont permis de conclure que, lorsqu'une personne a compris sa raison d'être sur cette planète et qu'elle vit motivée par ce but ultime, le niveau d'estime qu'elle a d'elle-même est toujours remarquable. Et cela produit automatiquement une qualité de vie supérieure à la moyenne. Cette importante prise de conscience m'a inspirée à faire de ce concept de la mission héroïque la toile de fond de mes ateliers, de mes consultations individuelles et de ce livre voué au développement de l'estime que nous avons pour nous-même.

Après tant d'années de contacts directs avec les gens, j'en ai conclu qu'un être humain ressemble en essence à un autre humain. Puisque nous sommes des êtres uniques, nous manifestons, bien sûr, des différences individuelles dans notre façon d'agir et de réagir à notre quête commune d'aimer et d'être aimé. Une des façons les plus efficaces d'apprendre à nous connaître est d'écouter attentivement les personnes qui sont sur notre route: toutes rencontres sont des rendez-vous divins et ces personnes ont toujours un message important à nous livrer pour accélérer notre évolution concernant l'essentiel: aimer. Comme le dit si bien Richard Bach, dans *Illusions*[1]: *«Nous sommes tous apprenants et enseignants.»*

Mais je ne suis pas une adepte de livres à recettes miracles. Je crois que chacun doit faire ses recherches et compléter son travail personnel pour avancer, à sa manière et à son rythme, sur son chemin de la réalisation de soi. Notre chemin aussi est unique.

Les réponses que je donne aux principales questions que l'on se pose généralement sont les miennes; elles reflètent d'abord ce que je reçois de mon Sage intérieur au moment où j'écris, la nature de mes expériences et aussi ce que j'ai appris des enseignants qui m'ont si généreusement partagé ce qu'ils ont reçu de la Vie. Ce que j'énoncerai comme idées sera donc toujours un point de vue que vous pourrez partager, considérer ou rejeter. C'est votre choix et je le respecte. Je crois que nous ne devrions jamais croire à ce qui nous est proposé à moins que notre faculté d'intuition et nos expériences personnelles ne nous confirment que ces principes peuvent nous être utiles maintenant pour améliorer notre condition de vie. Très souvent, nous consentons à servir les principes au lieu que ce soit les principes qui nous servent.

La plupart d'entre nous avons un travail de conscience important à faire concernant l'estime que nous avons pour

---

1. Richard Bach, *Illusions*, Paris, Flammarion, 1978.

nous-même, et personne ne peut le faire pour nous. Pour que la démarche ne demeure pas seulement sur le plan intellectuel, je te propose des exercices d'intériorisation et des travaux pratiques qui te permettront de «dé-couvrir» les zones cachées (Carl Jung les appelle «les ombres») de ton monde intérieur qui t'empêchent de t'aimer vraiment. Ces outils d'éveil d'une grande simplicité sont très efficaces pour changer et intégrer des principes de vie stimulants et plus adéquats. Cette démarche concrète t'aidera à dévoiler ta splendeur d'être spirituel, ce qui t'amènera inévitablement à apprécier qui tu es vraiment: un enfant de lumière aimant et digne d'être aimé inconditionnellement.

C'est à toi de jouer maintenant!

Je t'envoie une abondance de pensées d'amour. Plus nous serons de personnes à envoyer régulièrement des pensées d'amour à nos proches ainsi qu'à tous nos frères et à toutes nos sœurs humains, plus vite l'amour régnera sur la terre. Et l'amour, nous en avons tous bien besoin!

Je te souhaite de tout mon cœur un merveilleux voyage à l'intérieur de toi-même.

Première partie

Nos origines spirituelles

Nous sommes des êtres spirituels ayant des expériences humaines et non des êtres humains ayant des expériences spirituelles.

Deepak Chopra

Qu'es-tu venu faire sur cette planète?

À bateau sans voile, le vent n'est jamais
favorable.

Montaigne

Autrement dit: «Si tu ne sais pas où tu t'en vas, tu arriveras ailleurs!» Cette boutade n'est pas sans un certain fondement de vérité. Beaucoup d'entre nous avons vécu et vivons encore parfois notre existence un peu à la va-comme-je-te-pousse. Nous nous laissons charrier par les circonstances de la vie et par des personnes dominatrices qui, elles, savent très bien ce qu'elles veulent et où elles s'en vont. Souvent inconscients de la direction que nous devons prendre, nous voyageons sur la mer de la Vie un peu comme un bateau à voiles sans quille; il n'est donc pas surprenant que nous nous sentions si souvent effrayés, perdus et impuissants.

Il est écrit dans la Bible: «*Là où il n'y a pas de vision, les gens périssent.*» Si tu n'as pas découvert la raison d'être de ton existence sur cette planète, si tu ne t'es pas intéressé aux questions existentielles, si tu ne fais confiance qu'aux lois et aux connaissances humaines, il est fort probable que tu te sois senti souvent perdu comme sur une mer inconnue et menaçante. Si tu as le plus petit grain d'humilité et d'honnê-teté, tu reconnaîtras sans honte tes fréquents désarrois devant ton existence; c'est le début de l'ouverture à la Lumière, à la Vie et à la guérison de tes blessures intérieures.

Notre Créateur n'est pas un idiot! Tout ce que l'Intelligence infinie a créé a sa raison d'être et il n'existe rien dans l'Univers qui ne soit utile. Si le Grand Responsable du cosmos a confié une fonction bien spécifique à la fourmi afin qu'elle contribue à l'ordre de l'Univers, nous aurions tout lieu de croire qu'Il a un plan spécial et défini pour nous qui sommes, comme l'affirment les scientifiques, Ses créatures les plus perfectionnées! L'Énergie créatrice a besoin de chacun de nous pour réaliser Son rêve: la paix dans l'Univers. Chacun de nous a une tâche unique pour collaborer à la paix dans le monde, à ce que *«Son règne arrive»*, comme l'exprime le Notre Père.

Pour participer efficacement à ce plan universel divin, nous devons d'abord devenir conscients de notre valeur personnelle, des dons, des talents, des qualités et des caractéristiques que nous avons reçus gratuitement à notre arrivée sur cette terre. Très souvent, au lieu de reconnaître et de manifester nos caractéristiques et nos dons divins, nous nous critiquons sévèrement et nous permettons aux autres de nous invalider dans ce que nous sommes, dans ce que nous faisons et dans nos choix de vie.

Au lieu d'adorer béatement nos idoles de cinéma et de télévision, il serait beaucoup plus sage et intelligent que nous investissions énergie, temps et argent pour découvrir notre splendeur et notre héritage d'enfants de Dieu. C'est ce chemin qui nous conduira à l'estime de soi, qui nous sauvera du désespoir et nous permettra ultimement d'atteindre cet idéal d'aimer inconditionnellement; c'est notre raison d'être ici. C'est aussi le travail le plus important que nous ayons à faire et, je le répète et le répéterai encore, personne ne peut le faire pour nous. Une personne qui s'aime inconditionnellement devient automatiquement aimable et attirante parce qu'elle irradie des énergies d'amour et de joie de vivre. Un être humain aimant est aimé et il est engagé à donner un sens valable à ce voyage terrestre que nous appelons la Vie; cela ne peut se faire sans estime de soi.

Notre art de vivre

En observant attentivement nos façons de vivre et ce qui est véhiculé par nos médias, nous pourrions facilement déduire que nous sommes ici, sur cette planète, pour atteindre le PAP (pouvoir, argent et prestige). Malheureusement et souvent inconsciemment, nous suivons le troupeau programmé à la «réussite sociale» et nous poussons la machine au bout afin de répondre aux critères uniformes de ces pseudo-experts en beauté, en bonheur et en prospérité. Sans nous demander en tant qu'individus intelligents et autonomes quels sont nos goûts et nos priorités, nous embarquons dans cette course folle du PAP.

Beaucoup d'entre nous sacrifions nos relations interpersonnelles, nos familles, nos talents pour gagner le plus d'argent possible; nous accumulons des biens matériels pour nous créer l'illusion d'une valeur personnelle. Nous compétitionnons et nous nous éreintons pour devenir les meilleurs. Nous manipulons et dominons les autres pour répondre à nos besoins personnels. Nous mutilons nos corps pour répondre aux critères de beauté à la mode.

Nous vivons donc terriblement stressés et insatisfaits parce que nous agissons souvent à l'encontre de notre identité d'êtres spirituels, qui exige que nous respections les beautés de notre humanité. Comme nous ne nous aimons pas, nous choisissons souvent de nous fuir en nous anesthésiant d'activités, de substances, de plaisirs et même de conflits pour compenser et ne plus sentir ce vide intérieur que crée l'absence d'un sens profond à nos vies.

Mais quelle est au juste cette essence de la Vie? Selon le concept de la responsabilité et de la réincarnation, avant d'arriver ici, nous avons choisi une mission spéciale. Dans sa sagesse, notre âme a choisi la planète Terre parce que c'est un endroit privilégié pour apprendre à maîtriser notre métier de co-créateur en manifestant les désirs profonds de nos cœurs dans la matérialité.

La Vie étant une école, nécessairement, comme à tout stage d'étude et d'apprentissage, on nous présente des problèmes à résoudre et des défis à relever afin d'arriver à «obtenir notre diplôme» de l'École de la Vie terrestre. Il y a des moments amusants, d'autres qui sont inconfortables, d'autres encore qui sont enthousiasmants ou confrontants. Parfois aussi, nous avons à composer avec des expériences très difficiles à vivre, mais les joies et les peines font partie intégrante du grand jeu qu'est la Vie ici-bas.

Khalil Gibran a écrit dans *Le Prophète*[2]: «*C'est par la douleur que se brise la coquille de votre entendement.*» C'est notre attitude de révolte et notre résistance à ce qu'est la Vie qui causent la plupart de nos souffrances terrestres. Lorsque nous choisissons consciemment de grandir, quand nous acceptons «ce qui est» avec confiance, que tout est pour le mieux malgré ce que nous en pensons et que nous nous laissons couler dans le flot de notre rivière de Vie, les expériences deviennent alors plus douces. Elles sont des sources d'apprentissage, d'évolution et de joies intérieures. Entendu de quelqu'un: «La souffrance est notre plus grand maître et tout ce qui ne nous tue pas nous fait grandir!»

J'ai écrit dans mon livre *Le secret de la prospérité: la spiritualité*[3] qu'il y a trois façons d'apprendre:

- par la souffrance: la personne en a assez de souffrir et elle consent alors à apprendre en investissant dans une démarche à la découverte d'elle-même (95% des humains apprennent de cette façon);
- par la loi de la responsabilité de cause à effet: la personne responsable ne blâme pas les autres pour les circonstances de sa vie; elle se sait la cause de ses réactions à «ce qui est»;

---

2. Khalil Gibran, *Le Prophète*, Bruxelles, Éditions Casterman, 1969.
3. Violette LeBon, *Le secret de la prospérité: la spiritualité*, Montréal, Éditions Quebecor, 1998.

- par le processus de la créativité: par la puissance de son attitude intérieure et sa créativité d'être spirituel, la personne attire à elle des expériences qu'elle juge toujours positives pour son évolution et sa qualité de vie.

Le but ultime de notre chemin de vie

Nous savons maintenant que nous sommes venus sur terre pour apprendre à aimer: à nous aimer d'abord afin de pouvoir aimer les autres, et enfin d'avoir assez confiance pour se laisser aimer. Cela semble si simple! Pourtant, le monde entier abonde de mal-aimés, de personnes qui, comme nous, ne s'estiment pas assez et n'arrivent pas à aimer les autres comme elles le voudraient.

Depuis le début des temps, tous les sages ont enseigné à peu près les mêmes vérités qui pourraient être résumées par *«Connais-toi toi-même»* de Socrate et par *«Aimez-vous les uns et les autres»* de Jésus de Nazareth.

Pourtant, beaucoup d'entre nous vivons en inconscients; à nous regarder vivre, un extraterrestre pourrait facilement croire que jamais personne ne nous a transmis ces enseignements et que nous avons été parachutés sur cette planète par hasard, sans avoir de but plus élevé que de «gagner notre vie» ou de «réussir dans la vie». Même avec la meilleure volonté du monde, comment pourrions-nous arriver à bon port si nous ignorons ou oublions la direction que nous voulions prendre dès le départ?

Nous devons bien nous rendre à l'évidence: nous avons oublié notre héritage divin qu'est l'amour pour faire place à cette peur collective qu'est la survie. Cette manière de vivre notre existence se transmet de génération en génération, et c'est la principale raison pour laquelle bien peu d'entre nous avons expérimenté, ne serait-ce que quelque temps, le fait d'aimer et d'être aimé inconditionnellement.

Nous avons fait d'énormes progrès dans notre manière de «faire la guerre», mais, malheureusement, notre façon de «faire l'amour» ne s'est vraiment pas améliorée si on en juge d'après les résultats des expériences vécues entre nous et entre les nations.

Il y a des temps, dans l'histoire de l'humanité, où l'ignorance était excusable à cause du manque d'information. Aujourd'hui, toutes les connaissances et les sciences acquises depuis le début du monde nous sont offertes souvent à peu de frais et parfois même dans nos salons! Chacun de nous a l'entière responsabilité de s'ouvrir aux occasions illimitées d'apprendre sur sa nature d'être spirituel et humain. En tant qu'habitants de la terre, nous sommes rendus dans notre évolution à apprendre à aimer. Il était temps!

Si, en tant qu'individus d'abord et de nations ensuite, nous ne choisissons pas d'en faire notre priorité, nous ferons d'innombrables détours pour nous rendre à notre destination. Nous serons alors obligés, par les forces incommensurables de la Vie, d'apprendre par des souffrances répétées qui, avec le temps, deviendront de plus en plus pénibles. Si nous y regardons de près, c'est même déjà commencé: entre autres, notre mère la Terre nous parle très fort depuis quelque temps...

Afin de te soutenir dans ton cheminement vers l'estime de toi-même, je te suggère un exercice d'intériorisation (exercice n° 1) qui te permettra de découvrir ton but ultime ou, dit autrement, ta mission héroïque sur terre. Eh oui! Héroïque est le mot exact et j'ai la conviction que, si tu as plus de quinze ans, tu as déjà assez vécu pour savoir que ce terme est juste.

Exercice d'intériorisation N° 1
Découvrir ta mission héroïque

Objectifs

Découvrir tes talents, tes dons divins, tes qualités, ce que tu aimes faire et comment tu peux participer concrètement à ton bonheur et à l'harmonie dans le monde en respectant ton unicité.

Instructions

1. Complète les trois phrases suivantes:

   a) J'aimerais vivre dans un monde de... (Énumère dix caractéristiques de ce qui serait pour toi un monde idéal. Exemples: de paix, d'amour, d'abondance, etc.)

   b) Les dix activités qui me donnent le plus de satisfactions sont... (Par exemple: aider, chanter, vendre, organiser, etc.; des activités que tu consentirais à faire sans être payé.)

   c) Les dix qualités ou caractéristiques qui me décrivent le mieux sont... (Par exemple: enthousiaste, sociable, courageux, etc.)

2. Choisis l'élément de chaque catégorie dans 1 a), 1 b), 1 c) qui est le plus inspirant pour TOI.

3. Complète la phrase suivante en y insérant les choix que tu as fait en 2.

«LE BUT ULTIME DE MA VIE EST DE CONTRIBUER À UN MONDE DE... (1 a), EN... (1 b), AVEC... (1 c).»

Dieu a besoin de toi pour créer la paix dans le monde

Après avoir fait le premier exercice, tu sais comment te rendre à destination... pour MAINTENANT! Plus tard, tu auras peut-être à faire quelques modifications, selon les périodes et les circonstances de ta vie. L'essence de ton but demeurera cependant toujours la même: évoluer tout en contribuant aux autres et à la Vie.

Notre Dieu Père/Mère n'a pas d'autres mains que les tiennes pour créer l'harmonie dans le monde. Tout ce qu'Il te demande, c'est de consentir à collaborer avec Lui en étant le meilleur que tu puisses être maintenant. Être ce que les autres nous demandent d'être afin de répondre à leurs attentes et à leurs besoins n'a jamais servi personne. Au contraire, c'est souvent cette attitude non authentique qui crée de nombreuses frustrations, d'amères déceptions, des colères, des ressentiments, des haines, des vengeances et, comme nous le savons maintenant, des maladies émotionnelles, mentales et physiques.

Dans Son grand amour pour nous, Dieu ne nous demande qu'une chose: que nous soyons fidèles à ce que nous sommes vraiment, c'est-à-dire Ses enfants bien-aimés créés à Son image et à Sa ressemblance. Rien de moins!

Tu es précieux aux yeux du Créateur et de par ce que tu es, tu fais une différence dans le monde. Par extension, tes comportements et ta manière d'être avec tes proches et ton entourage contribuent à la qualité de la vie sur terre. Nous pouvons soutenir l'œuvre de Dieu ou la saboter. Il n'existe pas de neutralité. Que notre impact dans notre environnement soit positif ou négatif, nous en sommes toujours entièrement responsables.

En tant qu'êtres spirituels, nous avons reçu de nombreux dons et talents gratuits pour une seule et unique raison: évoluer et servir l'humanité. De par notre héritage divin, nous sommes tous très bien équipés pour faire notre travail unique. Comment Mozart aurait-il pu ne pas composer sa musique? Comment mère Teresa aurait-elle pu ne pas aider? Comment Céline Dion pourrait-elle ne pas chanter? Comment Martin Luther King aurait-il pu ne pas s'engager à améliorer la condition des Noirs aux États-Unis? La différence entre ces personnes célèbres et nous, c'est qu'elles ont pris l'entière responsabilité de leur nature profonde, qu'elles se sont engagées avec courage et détermination à développer et à faire fructifier leurs talents innés.

Nous avons tous notre musique à jouer et c'est en devenant conscients de notre splendeur d'êtres spirituels, en la développant et en la manifestant dans notre vie de tous les jours que nous arriverons à reconnaître notre valeur intrinsèque. Nous parviendrons ainsi à nous aimer pour ce que nous sommes vraiment et non pour ce que nous avons ou ce que nous accomplissons. Si nous ne vivons pas en accord avec notre raison d'être, alors nous qualifierons inexorablement la vie d'absurde et nous souffrirons d'égocentrisme et de médiocrité chronique. Répondre à notre mission héroïque, à cet appel de notre Sage intérieur à participer à l'harmonie dans le monde, rehaussera inévitablement l'estime que nous avons pour nous-même.

Alors, et alors seulement, nous ne nous sentirons plus obligés de prouver quoi que ce soit, de nous prostituer pour être admirés, encensés, reconnus et aimés par les autres. Nous connaîtrons notre direction et nous n'aurons plus besoin de l'approbation de notre entourage pour aller sur notre chemin de vie. Nous n'aurons plus qu'une seule référence pour nous évaluer: notre Sage intérieur, qui nous laissera toujours savoir la vérité sans artifice ni détour. L'estime de soi est une expérience vécue de l'intérieur et ne peut être acquise par ce que l'on reçoit de l'extérieur.

Notre monde a bien besoin d'être guéri et notre intention de participer à un monde meilleur doit se manifester concrètement par notre contribution à la qualité de vie. Cependant, avant d'en arriver à aimer les autres, nous devons commencer par le travail le plus confrontant et le plus difficile qui soit: nous connaître à fond. Nous ne pouvons pas nous aimer si nous ne nous connaissons pas. Nous ne pouvons pas non plus aimer les autres ni nous laisser aimer si nous ne nous aimons pas.

Allons donc ensemble vers la plus belle découverte de notre vie: nous connaître et apprendre à nous aimer inconditionnellement pour ce que nous sommes vraiment, c'est-à-dire des êtres extraordinairement puissants, aimants et créateurs.

Deuxième partie

Nos origines humaines

Nul ne peut être vraiment heureux ni prospère à moins d'expérimenter une authentique estime de soi.

V. L.

Notre âme sait où elle s'en va!

> *Notre âme sait très bien où elle s'en va et elle nous y conduit par les circonstances de notre vie.* V. L.

Il y a quelques décennies, alors que je cherchais des réponses à mes questions existentielles: «Qui suis-je? Où vais-je? Qu'est-ce que je fais sur cette planète?», j'ai été guidée à participer à un atelier sur la connaissance de soi où l'on m'a fait faire l'exercice que j'ai suggéré à la page 29 afin de découvrir ma mission spécifique sur terre. Voici donc cette révélation qui a donné, depuis, un sens valable à ma vie:

> *Le but ultime de ma vie est de contribuer à un monde de solidarité en partageant ce que j'ai si généreusement reçu avec enthousiasme, courage et persévérance.* V. L.

Cette façon de percevoir ma raison d'être sur cette planète m'a permis de prendre conscience que toutes mes expériences antérieures avaient été imprégnées de l'essence même de ce but de vie, même si j'en étais alors absolument inconsciente.

Je suis l'aînée d'une famille de huit enfants et je me rappelle comment, tout au long de ma jeunesse, je me sentais responsable de la solidarité et de «l'esprit de famille» qui régnaient chez nous. Mon père travaillait à l'extérieur cinq jours sur sept et je percevais ma mère comme étant terriblement seule et surchargée de responsabilités importantes. J'étais prête à faire n'importe quoi pour soulager la tâche énorme de cette femme que j'aimais et que j'admirais plus que tout au monde. Très tôt, j'ai participé aux tâches ménagères, j'ai fait «de l'animation» avec les plus jeunes, j'ai organisé des activités familiales et j'ai eu beaucoup de plaisir à leur enseigner ce que j'avais appris soit de ma mère, soit de mes enseignantes.

J'avais quarante ans quand j'ai découvert ma raison d'être sur cette planète et je me suis demandé comment il se faisait que je n'aie pas pris conscience de ce mandat auparavant. «Comme il m'aurait été utile d'avoir une idée précise de ce qu'était ma voie lorsque j'ai eu des choix importants à faire tout au long de ma vie!» pensai-je alors.

Je me suis rendu compte depuis que cet état de choses faisait partie de mon cheminement personnel et que c'était très bien ainsi, quoi que j'en pense! J'ai aussi appris qu'en tant qu'être spirituel, j'existais auparavant dans une autre dimension et que mon âme, dans sa grande sagesse, avait choisi avant ma naissance les personnes et les conditions de vie terrestres les plus favorables pour mon évolution spirituelle. Je fais ici référence au concept de la réincarnation, mais il n'est pas nécessaire d'y croire pour faire la démarche que je te propose.

Pour résumer, disons que, lors de son entrée à l'école de la Vie, le petit de l'être humain ne naît pas vierge; en plus d'avoir hérité de certaines caractéristiques génétiques, il arrive avec une mission spéciale et un certain bagage de vies antérieures dont il n'a plus souvenance.

Les jeunes enfants ont une haute estime d'eux-mêmes

Bien que nous ayons tous notre individualité, nous pouvons remarquer, entre autres, que les jeunes enfants en santé, élevés dans un milieu relativement sain, se permettent sans aucune culpabilité d'être tout ce qu'ils sont. Ils expriment sans ambiguïté leurs besoins, et ce, souvent avec force et persévérance afin d'obtenir ce qu'ils désirent. Ils sont toujours dans le présent; pour eux, le passé et l'avenir n'existent pas. Jamais vous entendrez un enfant de deux ou trois ans demander: «Maman, vas-tu me donner à manger demain? Papa, est-ce que j'aurai encore un chez-nous la semaine prochaine?» Il se sait digne d'amour et de soins, et il fait entièrement confiance à ses parents et à la Vie.

En les regardant de près, nous pouvons facilement observer que les jeunes enfants sont joyeux la plupart du temps. Ils sont aussi aimants, authentiques et se sentent les personnes les plus importantes dans leur environnement. Ils font confiance en leurs capacités et s'expriment avec courage: apprendre à se lever debout, à marcher ou à se mettre en colère contre un parent qui fait trois fois sa taille demandent beaucoup d'assurance et de confiance en soi.

Observe un bébé se regardant dans une glace: il s'admire, se trouve magnifique et le manifeste ouvertement sans aucune gêne; il reconnaît sa grande beauté et il exige à sa manière ton approbation sinon tes applaudissements. En général, les jeunes enfants sont heureux et ont une haute estime d'eux-mêmes. Jusqu'à ce que leurs parents bien intentionnés décident de «les élever»... pour leur plus grand bien!

Que nous est-il donc arrivé? Pourtant, au Québec, la plupart d'entre nous avons été éduqués par des parents de bonne volonté dans des conditions de vie relativement confortables. Alors, comment en sommes-nous arrivés à perdre l'estime que nous avions pour nous-mêmes alors que nous étions enfants?

Est-il possible de retrouver cet amour inconditionnel que nous éprouvions pour nous?

Pour en arriver à répondre à cette dernière question, il est essentiel de retourner dans notre passé afin de devenir conscients de la façon dont nous avons été traités au début de notre existence sur cette planète. Les psychologues s'accordent à dire que tout se joue avant cinq ou six ans: il serait donc important que tu t'y attardes si tu désires rebâtir l'estime que tu as de toi-même. L'exercice qui suit t'aidera à faire le point.

Exercice d'intériorisation N° 2
Comment t'es-tu senti traité comme enfant?

Instructions

Réponds par écrit aux questions suivantes:

1. Combien d'enfants étiez-vous dans la famille?

_____

2. Où te situes-tu (le rang)? Premier, deuxième, etc.

_____

3.. Comment t'es-tu senti traité par ta famille?
    Je me suis senti...
        Choyé ( ) Négligé ( ) Ignoré ( ) Rejeté ( ) Aimé ( )
        Effrayé ( ) Critiqué ( ) Comblé ( ) Écrasé par les
        responsabilités ( ) Surestimé ( ) Sous-estimé ( )
        Agressé ( ) Abusé ( ) Coupable ( ) Honteux ( )
        Ridiculisé ( ) Méprisé ( ) Harcelé ( ) Encouragé ( )
        Inquiété ( ) Humilié ( ) Complimenté ( ) Frappé ( )
        Soutenu dans mes projets ( ) Validé ( ) Harcelé ( )
        Cajolé ( ) Amusant ( ) Admiré ( ) Rassuré ( ) Déçu ( )
        Compris ( ) Découragé ( ) Diminué ( ) Surprotégé ( )
        Stupide ( ) Incapable ( ) Dominé ( ) Négligé ( )
        Respecté ( ) Contrôlé ( ) Insulté ( ) Incompris ( )
        Condamné ( ) Menacé ( ) Persécuté ( ) Repoussé ( )
        Surveillé ( ) Invalidé ( ) Tourmenté ( ) Utilisé ( )
        Maltraité ( )
        Traité : avec indifférence ( ) avec confiance ( )
        avec méfiance ( ) avec intérêt ( ) avec fermeté ( )
        avec sévérité ( ) en idiot ( ) avec mépris ( )
        avec condescendance ( ) injustement ( )

4. Nombre de caractéristiques positives ( ), négatives ( ).

_____

5. Comment te sens-tu face à ce que tu découvres maintenant?

_____

Afin de faciliter ta démarche pour reconstruire l'estime que tu as pour toi-même, je te suggère d'accepter qu'il en soit ainsi maintenant, sans jugement ni condamnation. L'acceptation est le préalable pour avancer sur ton chemin de vie.

Note

Pour compléter ta démarche, je te proposerai un peu plus loin un exercice de pardon afin de te libérer des obstacles qui t'empêchent de t'aimer inconditionnellement.

Être parent:
le métier le plus difficile du monde

Ce qu'il y a de merveilleux concernant notre existence sur cette planète, c'est que nous pouvons toujours rebâtir, recommencer, recréer et que jamais rien ne se perd. Aussi étrange que cela puisse paraître, en élevant notre niveau de conscience, nous pouvons même réinventer et reconstruire notre passé en changeant les perceptions que nous en avons. Choisir de croire que tout a été pour le mieux malgré les apparences souvent trompeuses ouvre la voie à la croyance rassurante que tout, dans la vie, est dans l'Ordre divin et, conséquemment, pour notre plus grand bien. Mais ce n'est pas toujours évident, bien sûr!

Par exemple, au début de ma recherche pour me connaître, j'avais d'abord conclu que, dans mon passé, on avait souvent abusé de mon «bon cœur» en m'accablant de responsabilités qui ne me revenaient pas. En devenant de plus en plus responsable de tout ce que contenait ma vie, j'ai consenti à transformer cette vision négative de mon passé et j'ai choisi de percevoir qu'on avait validé une caractéristique importante de ma personnalité: j'étais une personne responsable et vraiment digne de confiance. J'ai pris conscience par la suite que cette qualité, renforcée par mes expériences de vie, m'avait servi tout au long de mon existence.

En fait, selon notre attitude, tout peut servir à améliorer notre qualité de vie; même les détours que nous prenons pour évoluer sont utiles pour notre processus de croissance. Dans l'échelle de l'évolution, chaque marche est essentielle parce qu'elle soutient la suivante qui monte toujours plus haut.

Mais revenons à notre condition familiale. Je ne crois pas que l'expression «élever les enfants», employée depuis des générations, définisse correctement nos manières d'être et de faire avec notre progéniture. Quand nous devenons conscients des résultats collectifs de «cet élevage», le terme nous apparaît tout à fait inapproprié. Je ne veux pas faire ici le procès des parents (je suis mère moi-même...), mais, tout de même, que d'ignorance et d'incompétence!

Malheureusement, nos enfants ne nous arrivent pas avec une feuille d'instructions comprise dans l'emballage: «Comment élever votre enfant en x étapes. Suivez ces recommandations et vous obtiendrez les résultats désirés.» C'est bien connu, nous apprenons en imitant nos aînés et en prenant conscience de nos gaffes et de nos erreurs... quand nous apprenons!

Tous les parents dits normaux, c'est-à-dire le moindrement sains d'esprit, feront tout leur possible pour donner à leurs enfants le meilleur d'eux-mêmes, comme leurs parents et les parents de leurs parents l'ont fait avant eux. Cependant, nous n'avons pas tous les mêmes capacités d'aimer et d'enseigner, la même qualité de vie spirituelle, la même patience, le même dévouement à donner sans compter, le même contrôle de nos humeurs, la même santé physique, ni le même équilibre mental et émotionnel. Accompagner un enfant dans son évolution jusqu'à l'âge adulte tout en se respectant mutuellement demande des caractéristiques et des qualités exceptionnelles: il n'existe pas de travail sur cette terre qui ne demande plus d'abnégation, d'amour, de courage, de patience, de persévérance et d'intelligence du cœur.

Être parent est un métier bien difficile, mais il comporte des joies immenses que ne peut remplacer nulle autre. Malheureusement, même avec beaucoup d'amour et la meilleure volonté du monde, si nous n'avons pas fait notre travail intérieur, nous transmettrons automatiquement ce que nous avons reçu et nous ne pourrons jamais donner ce que nous n'avons pas. C'est ce qui fait que de génération en génération, les chaînes de la violence familiale et de l'alcoolisme, par exemple, continuent de se répandre dans nos sociétés dites informées, évoluées et à l'aise.

Le plus bel héritage que nous puissions léguer à nos enfants, c'est de soigner nos blessures intérieures afin de briser cette chaîne héréditaire qui nous garde prisonniers de nos peurs et de nos comportements malsains. Alors, et alors seulement, nous serons libres de nous aimer les uns les autres. Le docteur Gerald Jampolsky, auteur du best-seller *Aimer, c'est se libérer de la peur*[4] écrit qu'il existe deux émotions qui nous motivent à faire quoi que ce soit: l'amour et la peur. Comme nous ne pouvons être assis sur deux chaises en même temps, lorsque nous avons peur, il nous est absolument impossible d'aimer véritablement.

La peur, la honte ainsi que la culpabilité ayant été omniprésentes dans notre éducation familiale et religieuse, comment aurions-nous pu apprendre à aimer et à nous laisser aimer sans crainte? Ce sont ces émotions destructrices, conscientes et souvent inconscientes, transmises de génération en génération, qui sont la cause de nos profondes blessures ignorées et qui, avec le temps, dégénèrent en déséquilibres spirituel, mental, émotionnel et physique.

Comme parents, nous investissons énormément d'énergie, de temps et d'argent afin de donner à nos enfants une éducation qui leur permettra d'acquérir les qualités et les compétences nécessaires pour être acceptés dans la société et réussir leur vie. Dans notre ignorance, nous avons cru qu'en leur renotant constammment ce que nous percevions comme des déficiences et des défauts, notre progéniture serait inévitablement motivée à se corriger. Nous étions convaincus qu'en omettant de reconnaître nos enfants pour leurs qualités, leurs talents, leur beauté et leurs belles différences («ils vont s'enfler la tête!» pensions-nous), ils deviendraient des modèles d'humilité. Or surprise! Cette manière de faire a créé des générations d'humains qui cachent leur honte et le piètre estime de soi avec un orgueil souvent débridé qui génère des comportements malsains et destructeurs de joie de vivre et de relations créatrices d'amour. Et... nos pauvres têtes se sont quand même beaucoup enflées!

---

4. Dr G. Jampolsky, *Aimer, c'est se libérer de la peur*, Genève, Éditions Soleil, 1986.

De plus, comme la plupart d'entre nous avons été éduqués dans un système familial autoritaire, nous avons nécessairement été victimes d'une série d'interdits touchant l'expression de certaines émotions et qualités, de certains traits de caractère et talents.

Ce contexte malsain est, la plupart du temps, à l'origine de nos sentiments de honte et de culpabilité vécus dans notre petite enfance.

Comme l'écrit Jean Monbourquette dans un livre bien étoffé sur le sujet[5], il y a cinq principaux interdits qui nous ont le plus blessés:

1. Interdits de devenir soi-même: d'être une femme, un homme, de vouloir grandir, de penser à soi, d'être différent, etc.

2. Interdits portant sur les émotions: d'exprimer la peur, la jalousie, la colère, l'amour, la tendresse, la tristesse, etc.

3. Interdits portant sur les apprentissages: de savoir, d'aimer les arts, de faire des erreurs, d'être intelligent, etc.

4. Interdits portant sur l'intimité: de se lier d'amitié, d'avoir une vie intime, de faire confiance, de manifester son affection, etc.

5. Interdits sur l'affirmation de soi: de demander, de refuser, d'exprimer son opinion, d'avoir des projets, d'être fier de soi, etc.

Je te propose l'exercice de recherche qui suit afin que tu cernes clairement les expériences personnelles qui ont créé tant de honte, de culpabilité et de manque de confiance en toi-même dans ta jeune vie.

---

5. Jean Monbourquette, *Apprivoiser son ombre — Le côté mal aimé de soi*, Ottawa, Novalis, 1997.

Exercice d'intériorisation N° 3
Les interdits dans ma famille d'origine

Instructions

En te référant au texte qui précède cet exercice, indique ce qu'ont été les interdits dans ta famille d'origine et quelles ont été tes réactions à ces règles souvent non dites.

Exemple de l'interdit n° 1: Être différent, plutôt intellectuel que physique. Réactions: Cacher ses intérêts, sentir de la honte, essayer sans succès d'être physique, manquer de confiance et d'estime de soi.

1. Être toi-même: _____

_____

_____

2. Expression des émotions: _____

_____

_____

3. Apprentissages : _____

_____

_____

4. Intimité: _____

_____

_____

5. Affirmation de soi: _____

_____

_____

6. Autres: _____

_____

_____

Nos trésors enfouis

Dans son livre intitulé *Apprivoiser son ombre — Le côté mal aimé de soi,* Jean Monbourquette affirme que les interdits ont brimé notre épanouissement personnel.

> *De tels interdits ont souvent comme effet de freiner la connaissance et le développement des richesses person-nelles. Si on désire exploiter ces richesses enfouies dans l'inconscient, on devra un jour, avec humilité, patience et courage, plonger dans son «sac à déchets», les en reti-rer une à une et se donner le droit de les exploiter.*

Avant d'en arriver à fouiller dans ton «sac à déchets» pour faire le tri entre le «bon grain et l'ivraie» qui s'y trouvent pêle-mêle, il y a des précautions à prendre afin de faire de cet exercice une expérience revalorisante et productive d'estime de soi. Je te suggère donc d'être très aimant, compréhensif et compatissant pour cet enfant sans défense que tu as été et à qui on a souvent refusé le droit de s'exprimer et d'expérimenter sans culpabilité ni honte cet état de dépendance légitime naturel qu'est l'enfance.

En faisant l'exercice n° 3, tu as sans doute pris conscience que, comme enfant, tu étais très vulnérable à ce que tu recevais des personnes en position d'autorité. Tu n'étais pas équipé, ni mentalement ni émotivement, pour faire la part des choses. Par exemple, tu ne pouvais pas savoir qu'il était naturel, correct et sain de pleurer quand tu avais du chagrin, d'exprimer de la colère quand tu étais frustré, de l'enthousiasme quand tu étais content, de câliner quelqu'un que tu aimais, etc.

À la suite de cet entraînement pernicieux à camoufler ta vraie nature, peut-être, en tant qu'adulte, as-tu caché ta sensibilité, ta tendresse, tes sentiments d'amour afin qu'on n'abuse pas de toi. Peut-être as-tu «joué les durs» pour ne plus avoir mal. Peut-être encore as-tu dissimulé ton intelligence et ton savoir pour être inclus dans un groupe...

Comme tous les enfants, tu as cru que l'autorité savait. Toutes tes expériences de vie ont été marquées directement par ce qu'on t'a dit, par ce que tu as entendu et, surtout, par ce que tu as ressenti, observé et conclu comme étant la VÉRITÉ. C'est ainsi que se construisent notre système de croyances, de valeurs et l'estime que nous avons pour nous-même.

Afin de devenir plus conscient de ce que tu as «acheté comme salade» en ce qui te concerne, de ce qui est bien et mal, de ce qui se fait et ne se fait pas, je te suggère l'exercice qui suit.

Exercice d'intériorisation N°4
Mes étiquettes négatives d'enfant

Instructions

Réponds par écrit aux questions suivantes:

1. a) Jeune enfant, qu'est-ce que tes parents te disaient directement quand ils condamnaient ta manière d'être et de faire?

   Exemples: Insulter, «dire des noms», ridiculiser, comparer, donner des étiquettes négatives: «Grand bébé - Imbécile! Tu ne réussis jamais rien! Ta sœur est bien plus gentille que toi! Tu ne feras jamais rien de bon dans la vie!» etc.

   _____

   _____

   _____

   _____

   b) Quand on parlait de toi, qu'est-ce qu'on disait?

   _____

   _____

   _____

   _____

2. a) À l'adolescence, qu'est-ce que tu as reçu comme étiquettes «directes» des membres de ta famille et de tes amis?

   _____

   _____

   _____

   _____

b) Quand on parlait de toi, qu'est-ce qu'on disait?

_____

_____

_____

_____

3. a) Qu'est-ce que les membres de ta famille te disent
directement quand ils parlent de toi maintenant?

_____

_____

_____

_____

b) Qu'est-ce qu'ils disent de toi aux autres?

_____

_____

_____

_____

4. Qu'est-ce que tes amis et tes connaissances disent de
toi en général?

_____

_____

_____

_____

5. Qu'est-ce que les étrangers disent de toi au cours
d'une première rencontre?

_____

_____

_____

_____

6. a) Qu'est-ce que tu ressens intérieurement maintenant devant ces découvertes?

_____

_____

_____

_____

b) Qu'en penses-tu?

_____

_____

_____

_____

Note

Nous ne faisons pas ici l'inventaire des étiquettes positives puisque celles-ci ont contribué à favoriser l'estime que nous avons pour nous-même.

Caractéristiques de l'ordre des naissances dans la famille

Selon John Bradshaw et le Bach Institute de l'Université du Minnesota aux États-Unis[6], la famille est un modèle des systèmes sociaux importants de notre société. Ce modèle repose sur l'ordre des naissances; les rôles y sont attribués automatiquement pour répondre aux besoins du système: la productivité, le maintien des émotions, les relations et l'unité.

Selon ce modèle, il y a quatre rôles principaux adoptés par les nouveaux arrivés dans une famille. Les enfants naissant après le quatrième répètent cette séquence: le cinquième enfant agit comme le premier, le sixième comme le deuxième, etc.

- **Le premier enfant** porte les attentes conscientes et explicites de la famille en ce qui a trait à la productivité. Il s'identifie davantage au père et cultivera des valeurs compatibles ou qui y feront opposition. Il est sociable et porté vers autrui.

- **Le deuxième enfant** entretient les besoins émotionnels du système. Il réagit aux règles implicites et inconscientes du système familial. Il se lie à la mère, en étant en réaction ou par identification. Il éprouve parfois de la difficulté à unir cœur et raison.

- **Le troisième enfant** s'accroche aux besoins du système en matière de relations. Il s'identifie et symbolise parfaitement l'état du mariage et a de la difficulté à s'établir une identité propre. Sa principale préoccupation est de nouer des liens. Il a souvent de la difficulté à faire des choix.

---

6. John Bradshaw, *La famille*, Laval, Éditions Modus Vivendi, 1992.

- **Le quatrième enfant** se charge de l'unification dans le système familial. Il capte et conserve les tensions familiales irrésolues. Il est, en quelque sorte, le radar de la famille. Il se sent souvent responsable mais impuissant devant les événements familiaux. Il semble souvent puéril et indulgent.

- **L'enfant unique** véhicule toutes les fonctions du processus familial. Au sein d'une famille saine, tout se passe bien pour lui, mais dans les mariages dysfonctionnels, l'enfant unique véhicule la dysfonction dissimulée.

Bradshaw mentionne que cette théorie de Bach demeure une théorie, mais elle peut quand même aider quelqu'un à découvrir certaines tendances de la personnalité qui sont souvent plus acquises qu'innées.

La famille et les agents de changement

Il arrive souvent qu'un membre d'une famille, à la suite d'un choc émotif important ou d'une maladie grave, décide de faire une recherche afin de mieux comprendre ce qui lui arrive et de se prendre en main. Cette personne consentira à changer et s'engagera à faire tout ce qu'il y a à faire pour arrêter ces courants d'expériences pénibles qui se répètent avec de plus en plus de force dans sa vie.

Nous avons tous peur du changement et de l'inconnu. Alors, tout individu qui remet en question un système établi prend l'énorme risque d'être invalidé et rejeté de son entourage: il sera même perçu comme menaçant parce qu'il remettra en question les coutumes, les habitudes, les valeurs et les croyances familiales.

En ce qui concerne la Vie, il n'y a qu'une chose qui ne change pas et c'est le changement! Dame nature nous en fournit le modèle; même les pierres changent! Les personnes qui ne veulent pas évoluer, qui veulent garder le *statu quo* ont choisi, souvent inconsciemment, de stagner et de mourir à petit feu: il y a peu de joie de vivre dans cette philosophie de vie.

L'Univers fait bien les choses. La famille est comme un mobile: quand un de ses membres bouge, toute la famille bouge, qu'ils aiment ça ou pas! C'est donc dire que celui ou celle qui a choisi de changer accepte beaucoup plus facilement les conséquences de ce choix, tandis que les autres se retrouvent bien malgré eux dans le «subir» et la résistance.

Selon le concept de la réincarnation, nous avons choisi nos parents et tous les membres de notre famille avant de naître. Quand il est question de ce principe, beaucoup de gens qui ont des difficultés familiales (et qui n'en a pas eu?) disent: «Je ne peux pas croire que c'est MOI qui ai choisi ces personnes! Mais où avais-je la tête?»

Comme je l'ai mentionné auparavant, nous sommes sur cette planète pour évoluer et apprendre à aimer inconditionnellement. Tous, nous avons des qualités particulières à acquérir. La famille que nous avons choisie est le lieu privilégié, le sol propice pour faire germer et fleurir nos plus beaux dons et guérir les blessures de nos âmes en évolution. Personne ne nous a dit que ce serait facile! En famille, nous sommes en présence de nos «maîtres-enseignants» les plus efficaces pour nous faire prendre conscience de nos déficiences, de nos défauts et de nos blessures non guéries en nous les reflétant. Heureusement, ce peut être aussi l'endroit où nous recevons le plus d'amour, de compassion, de validation de ce que nous sommes et d'encouragement pour atteindre nos objectifs de vie. Nous sommes tous très vulnérables avec les membres de notre famille, qui sont souvent les personnes qui nous ont le plus aimés. Conséquemment, ce sont aussi parfois par ces mêmes personnes que nous avons eu le plus mal.

La famille est donc le contexte par excellence où nous sont fournies toutes les occasions d'apprendre nos leçons de vie. Par exemple, si ton âme a choisi l'estime de soi comme étant le principal élément à travailler dans cette vie-ci, il y a de fortes possibilités que tu te retrouves dans une famille où tu te sentiras souvent critiqué, blâmé, invalidé et remis en question. De plus, tu remarqueras, avec un peu de recul, que tu t'es attiré ces mêmes genres de traitements à l'école, avec tes amis, tes relations amoureuses, à ton travail, etc. Le hasard n'existe pas et tout a sa raison d'être.

Les blessures de notre enfance

Après avoir dit que la plupart des parents ont fait au mieux de leurs connaissances et qu'ils ont donné ce qu'ils avaient reçu, nous ne pouvons pas passer sous silence que certains d'entre eux agissent de façon tout à fait irresponsable relativement au geste qu'ils ont fait: mettre un enfant au monde. Il existe maintenant de nombreuses ressources pour nous aider dans ce rôle si difficile de parent; je suis toujours étonnée de constater que bien peu de gens consultent pour recevoir du soutien afin d'améliorer cette qualité de vie familiale qui est si importante pour l'équilibre de chacun.

Pourtant, quand il est question d'apprendre de nouvelles connaissances pour améliorer leurs conditions de travail, ces mêmes personnes consentiront à investir temps et argent pour devenir plus compétents et plus à l'aise dans leurs fonctions. Et je n'élaborerai pas ici sur tous ces cours suivis pour améliorer nos performances sportives, scolaires, sexuelles, notre maquillage, comment placer notre argent, nous vêtir à la mode, nous nourrir, etc. Il faut bien avouer que ces genres de cours demandent moins d'investissement personnel et qu'ils sont beaucoup moins confrontants face à nos failles en tant que personnes responsables de la Vie.

De toute façon, que nos parents aient agi d'une façon responsable ou pas, il n'en demeure pas moins qu'inévitablement, de par la nature même de cette relation privilégiée de l'enfant avec les parents, nous avons tous été plus ou moins blessés par leurs manières d'être avec nous. On dit souvent qu'il n'y a rien de plus dangereux qu'un animal blessé, et je crois qu'il en est de même pour les humains. Que nous en soyons conscients ou pas, il est bien évident, ne serait-ce qu'à observer l'état de nos familles, que nous avons tous un travail important à faire sur l'amour.

Peut-être as-tu entendu ton ego te dire: «Pas toi! Tu as beaucoup confiance en toi.» Attention de ne pas fermer une porte qui te conduirait à découvrir que, dans certains domaines, tu es loin de t'aimer inconditionnellement. On dit que les pires erreurs sont celles qu'on fait au sujet de soi-même. Si, toutefois, tu étais l'exception à la règle, eh bien, bravo! Je m'en réjouis avec toi. Je continuerai donc de réfléchir avec ceux qui, comme moi, ont des zones de non-estime d'eux-mêmes et qui veulent évoluer dans ce domaine.

Je précise qu'il y a une différence entre avoir confiance en soi et s'aimer inconditionnellement. Quand nous disons avoir confiance en nous, nous nous référons souvent à notre habileté à utiliser notre personnalité, à manifester nos connaissances, nos caractéristiques positives et nos talents. Par exemple, je pourrais avoir une confiance absolue dans l'exercice de mon métier et me sentir tout à fait nulle et incompétente quand il s'agit de gérer les conflits dans mes relations personnelles. Alors, je ne m'aimerais pas inconditionnellement parce que je n'accepterais pas ces échecs dans mes rapports avec mes proches. Conséquemment, il me serait impossible d'aimer les autres.

Il est important de te rappeler que toutes les formes de relations que tu as avec les autres reflètent ta manière d'être en relation avec toi-même. Désolé, j'aimerais bien que ce soit plus facile! Comme je l'ai déjà écrit, nous traitons les autres comme nous nous traitons nous-même. En plus, nous sommes traités par les autres de la même manière que nous nous traitons.

Finalement, le défi est toujours à l'intérieur de soi; de là découle l'absurdité à vouloir travailler à changer qui que ce soit. Quelle découverte géniale! Si tu t'attardes à ce concept et que tu choisis de t'en servir, tu expérimenteras beaucoup de puissance à améliorer tes conditions de vie, à te prendre en main et à devenir responsable de tes réactions à tout ce que contient ton existence.

Mais revenons à notre enfance. Comment se fait-il que nous nous sentions si peu fiers de nous? Qu'est-ce que nos parents, nos enseignants, les membres du clergé et les personnes en autorité nous ont transmis qui nous a tant blessés?

Nos plus éminents psychologues s'accordent à dire que nous avons été éduqués par des victimes et que, de par leur nature, les victimes créent d'autres victimes ainsi que des bourreaux. Comme enfants, nous acceptons comme normaux les comportements des adultes à notre endroit parce que nous n'avons aucun moyen de les comparer, de les évaluer ou de les remettre en question. Pour être aimé et ainsi survivre, le jeune enfant, qu'il soit choyé ou battu, se créera un système de croyances qui lui fera croire que la vie est ainsi et que tout est normal. Si tu veux approfondir le sujet, je te suggère l'œuvre importante d'un spécialiste en la matière, John Bradshaw[7] qui a fait des recherches et un travail colossal en ce qui concerne la famille comme système social et les drames souvent méconnus et ignorés des enfants.

---

7. John Bradshaw, *Retrouver l'enfant en soi*, Montréal, Le Jour, 1992.

Les blessures collectives de nos âmes

En plus de l'influence des blessures non guéries de nos parents, nous avons subi, du moins au Québec, un important lavage de cerveau de la part des autorités religieuses. J'aime bien nommer les choses; une fois nommées et qualifiées, les circonstances de nos vies ont moins d'emprise sur notre mental, notre monde émotif et, par extension, sur la qualité de notre vie. Personnellement, c'est en me libérant de la crédulité et de la foi aveugle, du déni et des rationalisations pour excuser les membres du clergé que j'ai retrouvé ma capacité de penser et d'agir par moi-même.

Par ma recherche spirituelle, je me suis réapproprié mon âme héritière d'un Dieu qui est bon, généreux, juste et qui, Lui, ne me condamne jamais parce qu'Il est Amour. Quel soulagement! Ce sont les hommes qui ont inventé les condamnations pour mieux contrôler; ce n'est pas l'affaire de Dieu, qui est amour inconditionnel, liberté et respect.

Je n'ai maintenant qu'une seule référence d'intégrité: mon Dieu intérieur et ma faculté de sagesse innée. Il n'y a plus personne qui me dira quoi faire de ma vie! Jamais plus!

Mais quels tourments pour en arriver là! Dans mon cheminement pour retrouver mon identité écrasée sous les règles normatives, j'ai pris conscience de l'ampleur des dégâts spirituels, intellectuels et émotionnels qu'avait effectués cette programmation d'obéissance aveugle à l'autorité. Les chocs émotifs des épreuves de ma vie aidant, j'ai décidé d'investir beaucoup de temps et d'argent dans cet engagement à me connaître; cet engagement est devenu ma priorité depuis plusieurs années. Maintenant, je choisis d'évoluer consciemment: je n'attends pas que la Vie m'y pousse. C'est ainsi moins laborieux, moins souffrant, plus amusant et beaucoup plus efficace.

Mais je pars de loin, comme beaucoup d'autres! Je me rappelle très bien que, comme les enfants de ma génération, je n'avais pas le droit de dire NON à l'autorité, d'exprimer mes opinions, de verbaliser des doutes, de ne pas être d'accord, ni même de poser des questions. Celui ou celle qui s'y risquait était, la plupart du temps, humilié devant tout le monde et rejeté par des qualificatifs invalidants tels que «mauvaise tête», «mauvaise graine», etc.

Pour compléter le traitement d'aliénation, on nous a imprégné la tête et le cœur d'étiquettes avilissantes. Par exemple, on nous a dit que nous étions «les enfants du péché» et on nous a fait répéter pendant plusieurs générations: «Je ne suis pas digne que Vous entriez dans ma maison» (moi, son enfant créé à Son image?...). Afin de s'assurer que la honte et la culpabilité soient bien intégrées, on nous a ordonné de nous frapper la poitrine en répétant quotidiennement: «C'est ma faute, c'est ma faute, c'est ma très grande faute!» Théologie fondée sur la peur au nom d'un Dieu «infiniment bon, infiniment aimable»!

Les auteurs des religions sont souvent de très grands psychologues; leurs enseignements, souvent sadiques, ont été très efficaces pour rabaisser toute une population au rang de «ver de terre» (ce qui a été suggéré d'ailleurs!). Que de domination, de manipulations, de viols d'âmes collectifs, de manques de respect et d'abus de pouvoir! Toujours pour «notre plus grand bien», évidemment! Et nous nous demandons comment il se fait que nous ayons si peu confiance en nous-même! L'être humain est fait fort pour survivre à de tels traitements; que nous soyons encore sains d'esprit tient du miracle!

Il est impératif que, collectivement, nous sortions du déni face à notre passé, sans tout condamner ou rejeter, mais en appelant un chat un chat. Depuis l'arrivée de la télévision, nous sommes maintenant beaucoup mieux informés, moins ignorants et plus conscients de ce qui nous est arrivé comme individus et comme peuple. Si nous voulons construire un avenir enthousiasmant pour nos enfants, il nous faut connaître ce passé qui nous a tant marqués, sinon nous le répéterons. Elle n'est pas très inspirante cette perspective de vivre «en mouton frisé blanc» (j'ajoute tondu...) comme nous représentait notre ancien emblème national, promené avec fierté en char allégorique dans nos rues à la Saint-Jean. Pitoyable!

Il y a quelques années, les deux Allemagne se sont unies pour détruire le mur de Berlin. Nous avons eu, nous aussi, en tant que peuple, notre mur de Berlin, l'emblème de notre domination: la religiosité prônée par la religion catholique. Mais, depuis les années soixante, la grande partie de notre collectivité a renié et quitté ce système qui nous rongeait de l'intérieur. C'est ce mur de culpabilité, de honte toxique et de subordination qui nous isolait, nous gardait en esclavage et nous empêchait de percevoir notre splendeur d'enfant de Dieu digne d'admiration et de respect.

Comme pour le mur de Berlin, cette brisure a été la bienvenue. Il était temps! Nous étions suffisamment de Québécois qui pensaient, verbalisaient, écrivaient et proclamaient dans nos médias: «Ça n'a plus de bon sens!» Et tout comme pour le mur de Berlin, sans que les autorités s'en mêlent, l'institution catholique des Québécois s'est désintégrée d'elle-même, et ce, sans violence. C'est nous tous qui en avions ras-le-bol de ces abus et de ces non-sens: nous ne voulions plus aller à l'abattoir (les feux éternels de l'enfer qu'on nous promettait) docilement et sans rien dire. Nous avons commencé par observer; ensuite, nous nous sommes écoutés attentivement les uns les autres au lieu de toujours nous référer aux autorités en place pour penser et agir.

C'est alors que, collectivement, nous avons changé notre direction et nous avons dit NON à l'exploitation spirituelle, mentale, émotionnelle et matérielle. «Le Ciel», c'est tout de suite que nous le voulons et pas plus tard dans une autre dimension après l'avoir mérité par une vie de sacrifices. Cette vie de sacrifices, Dieu n'en veut pas. Un bon parent voudrait-il que son enfant se sacrifie pour lui? Pourrait-on nous attendre au moins à autant de qualité de cœur d'un Dieu d'amour?

Les autorités catholiques peuvent changer les habits sacerdotaux, les rituels, le latin pour le français, enlever des choses, en ajouter, les changer, jouer à «être à la mode», il n'y a rien à faire: la plupart d'entre nous ne marchent plus. Une fois qu'un peuple a perdu confiance, qu'il a eu l'expérience collective de s'être fait fourvoyer, utiliser et souvent exploiter pour des causes douteuses (comme nous vendre un petit Chinois pour 25 cents!), c'est trop tard et c'est irréversible!

En tant que peuple, les Québécois étaient jadis un peu comme des enfants: naïfs (nous le sommes de moins en moins), confiants, dévoués, courageux, bons vivants, croyants, travaillants, dociles et souvent non instruits. Belle proie pour des prédateurs gourmands et assoiffés de pouvoir, d'argent et de prestige!

Je veux cependant faire ici la part des choses et reconnaître les nombreux membres du clergé engagés et courageux qui ont contribué avec tout leur cœur et leurs moyens à ce que nous devenions un peuple de plus en plus instruit et fier. Nous ne sommes plus des porteurs d'eau et je crois qu'en cela, nous en devons une partie à plusieurs de nos enseignants religieux et à certains de nos politiciens qui ont fortement «secoué nos cages de dominés» afin de nous sortir de la peur, de la dépendance, de la résignation et de la médiocrité.

Rappelons-nous qu'il n'y a pas de hasard et que ce sont nos âmes respectives qui ont choisi le Québec comme terre d'apprentissage pour notre évolution. Collectivement, nous avons, pour la plupart, à travailler l'estime et la confiance en nous-même. Par exemple, observons-nous en présence d'un Français et d'un Anglo-Saxon, pour ne nommer que ces deux races. Beaucoup parmi nous sont souvent timides et prennent difficilement la place qui leur revient: l'Anglo-Saxon parlera plus fort et le Français parlera mieux et... plus longtemps!

Je crois que collectivement, il est urgent que nous arrêtions de brailler et de nous laisser charrier par nos insécurités maladives et nos attitudes de victimes incomprises et bafouées. En tant que peuple mature, il est grand temps que nous nous libérions de ce sentiment d'infériorité qui nous hante depuis le début de la colonie et qui fait bien l'affaire de tous nos voisins. Si nous visionnions tous ensemble et en même temps (quelle utopie!) le documentaire *Épopée en Amérique* de Jacques Lacoursière, nous serions fiers de notre passé et de ce que nous sommes devenus.

Il est grand temps que nous manifestions ouvertement notre splendeur de Québécois et que nous exigions la place qui nous revient. Personne ne nous l'offrira, c'est bien évident. La liberté, ça ne se demande pas, ça se prend!

On pourrait croire que discourir sur nos caractéristiques de Québécois nous éloigne de notre sujet: l'estime que nous avons pour nous-même. Or, il n'en est rien puisque ce sont les qualités et les défauts des individus d'une collectivité qui constituent les principaux traits de caractère et les expériences de vie d'une nation.

Les trois plus grands ennemis de l'estime de soi

Les plus grands ennemis de l'estime de soi sont:

1. la honte toxique;

2. la culpabilité toxique;

3. le manque de confiance en soi.

Même si nous avons fait d'énormes progrès sur le plan de l'affirmation de qui nous sommes, comment se fait-il que nous ayons encore la réputation d'avoir de la difficulté à nous exprimer, à dire ce que nous pensons et souvent à nous révolter contre les injustices flagrantes? On a souvent dit que nous étions de grands timides, des «gens gênés» et qui avaient peu confiance en eux-mêmes. Or la timidité et la gêne ont souvent pour cause la honte toxique qui est une maladie de l'âme, comme l'écrit John Bradshaw[8]. Ce livre du psychothérapeute américain, qui est le fruit d'une longue recherche, est très révélateur pour quiconque veut découvrir les zones ténébreuses que sont ces plus grands obstacles à l'estime de soi: la honte, la culpabilité et le manque de confiance en soi. Voyons plus en détail chacun d'entre eux.

La honte

Bien que cette émotion humaine soit normale, elle est difficile à cerner parce qu'elle se cache sous différents déguisements. Toujours d'après Bradshaw, il existe deux sortes de honte: la honte saine et la honte toxique.

La *honte toxique* provient généralement de notre enfance. Comme nos parents n'avaient aucun moyen de traiter ce grand ennemi de l'estime de soi qu'est la honte, nous avons été conta-

---

8. John Bradshaw, *S'affranchir de la honte*, Montréal, Le Jour, 1993.

minés de génération en génération par les virus de leurs blessures non guéries. La honte toxique intégrée peut donc devenir un état d'esprit permanent et une identité en soi pour la personne qui en souffre. C'est une émotion envahissante qui paralyse l'être humain en lui faisant croire qu'il est médiocre, anormal, dénué de qualités, inadéquat, incapable et indigne de confiance.

L'individu atteint de ce mal a, la plupart du temps, très peur d'être découvert et mis à nu. Pour éviter cette probabilité, il se construira un système de défenses: ses personnalités (origine du mot: *persona* qui veut dire «masque») qui lui cacheront, ainsi qu'aux autres, ses caractéristiques dont il a honte. Voici ce qu'en dit John Bradshaw:

> *Dans son essence profonde, la honte toxique est une force destructrice et synonyme de désespoir. C'est aussi une des pires formes de violence retournée contre soi et le noyau de la plupart des névroses.*

Nous admettons plus ou moins facilement notre sentiment de culpabilité, mais rarement avouerons-nous avoir honte de nous-même; très souvent, nous n'en sommes même pas conscients.

Par contre, la *honte saine* est le fondement psychologique de l'humilité et de la vie spirituelle, puisqu'elle nous met en contact avec nos limites et notre réalité humaine. Nous ne sommes pas Dieu, ni parfaits ni arrivés! Cette honte saine nous pousse à nous dépasser, à vouloir apprendre et évoluer, tout en nous donnant la permission d'être humains. Nous avons commis des erreurs et nous en commettrons d'autres. Nous savons ainsi que nous avons besoin d'aide et que, seuls, nous n'y arrivons pas; cette attitude nous conduit automatiquement à être plus humbles, moins imbus de nous-mêmes.

Comme exemple d'effets positifs d'une honte saine, il est reconnu mondialement que le programme en douze étapes des

Alcooliques anonymes est celui qui produit les résultats les plus efficaces, du moins en ce qui a trait à nos dépendances. Le psychiatre américain Scott Peck[9] a écrit qu'au XXe siècle, c'est ce programme qui a fait la plus grande différence pour le rétablissement des dépendances parce que c'est avant tout un programme spirituel qui guérit les blessures de l'âme. C'est la première étape de ce programme qui est la plus difficile pour quiconque veut en arriver à être libéré de ses dépendances (et qui n'en a pas?) parce qu'on demande aux membres d'avouer qu'ils ne sont pas capables de s'en libérer, de régler ce problème par eux-mêmes. Tout un défi pour des orgueilleux! Plutôt en mourir qu'avouer avoir besoin d'aide! L'homme n'est grand qu'à genoux, dit-on. La femme aussi! Cette démarche thérapeutique soutient les participants à reconnaître et à accepter leurs limites humaines. De plus, en se servant de leur saine honte comme moyen pour évoluer spirituellement, ils retrouvent ainsi l'estime d'eux-mêmes et l'équilibre dans les différents domaines de leur vie.

La culpabilité

Il existe aussi une saine culpabilité et une culpabilité toxique. Il y a une différence entre se sentir coupable et être coupable. Une façon de différencier l'une et l'autre est de se poser la question: «Est-ce que j'ai voulu faire du tort à quelqu'un (ou me faire du tort)?»

Voici quelques idées concernant la culpabilité:

- Se sentir coupable est très douloureux; lorsque nous avons assez souffert, que nous croyons avoir payé la note, nous nous donnons alors le droit de recommencer.

  Par exemple: l'individu qui a pris une bonne cuite la veille avoue le lendemain en se plaignant qu'il est un

---

9. Dr Scott Peck, *Plus loin sur le chemin le moins fréquenté*, Paris, Robert Laffont, 1995.

moins que rien, qu'il se sent terriblement coupable et... qu'il ne recommencera plus. Attention! la récidive est tout près parce qu'il a payé la note!

- Lorsque nous stagnons dans la culpabilité ou que ce sentiment est devenu presque permanent, nous ne prenons pas la responsabilité de nos actes et nous nous enlisons dans la piètre estime de soi.
- La culpabilité demande des punitions et la responsabilité demande des corrections. Cela n'arrange rien de dire: «Je me sens coupable» s'il n'y a pas, à l'origine, une ferme intention de ne pas recommencer. Ce qui fait une différence positive, c'est, entre autres, de dire: «Je m'excuse.» Et d'ajouter: «Qu'est-ce que je peux faire pour réparer?» Avec une telle attitude responsable, nous aurons moins le goût de recommencer nos erreurs!
- Si nous ne faisons pas les corrections appropriées, alors, pour soulager la douleur du sentiment de culpabilité, nous nous punirons nous-mêmes pour «expier la faute», par exemple par des blessures corporelles, des accidents, des maladies, des échecs, des pertes d'argent, etc.
- Nous nous sentons coupables lorsque nous ne vivons pas en accord avec notre idéal, nos croyances et nos valeurs; de là l'importance de les réévaluer afin de déterminer si ces critères sont encore ou non bénéfiques pour nous.
- Lorsque nous nous faisons du tort ou que nous en faisons aux autres consciemment, il est sain que nous nous sentions coupables. C'est ce qu'on appelle la voix de la conscience et c'est alors qu'il y a lieu d'apporter des corrections par le processus du pardon afin de ne pas recommencer.
- La culpabilité toxique est, la plupart du temps, liée à la honte en ce sens qu'elle nourrit un sentiment de non-mérite, d'être inadéquat, médiocre et méchant.

En résumé, la honte se rapporte à l'ÊTRE, à notre nature même, alors que la culpabilité est reliée au FAIRE. Fossum et Mason écrivent dans *Facing Shame*[10]:

Alors que la culpabilité est un douloureux sentiment de regret et de responsabilité à l'égard de ses actes, la honte est un sentiment douloureux à l'égard de soi-même. La personne honteuse peut difficilement réparer sa faute, parce que la honte est une question d'identité et non de mauvaise conduite.

La honte et la culpabilité toxiques ne nous font pas évoluer spirituellement, ni sur le plan humain d'ailleurs. Ces expériences extrêmement douloureuses ne nous apprennent rien et ne stimulent aucunement notre croissance: elles ne font que confirmer la perception négative que nous avons de nous-même.

Le manque de confiance en soi

À force de ne pas nous aimer, à force de nous critiquer, de nous condamner, de nous invalider, d'avoir honte de nous-même et de nous culpabiliser, nous en arrivons inévitablement à nous mépriser et à ne plus nous faire confiance. Nos peurs d'être inadéquats et pas à la hauteur, entretenues par notre attitude intérieure et souvent par nos relations sabotantes, nous conduisent inévitablement à la piètre estime de soi.

«Aime ton prochain comme toi-même», disait Jésus. C'est ce que nous faisons: souvent, nous condamnons et méprisons les autres parce que nous nous traitons ainsi. L'amour et le mépris ne font pas bon ménage.

Si des personnes de notre entourage nous parlaient d'une manière aussi irrespectueuse et nous traitaient aussi durement

---

10. Fossum et Mason, *Facing Shame*, cité dans *La famille*, John Bradshaw, Laval, Éditions Modus Vivendi, 1992.

que nous le faisons pour nous-même, jamais plus nous ne voudrions fréquenter ces gens. Et pourtant... c'est avec nous-même que nous avons la relation la plus intime et c'est aussi avec nous-même que nous sommes les plus sévères et les plus méchants.

Les psychologues reconnaissent depuis fort longtemps que plus une personne est invalidée, critiquée et diminuée, plus il est alors facile de la manipuler, de la contrôler et de la dominer parce qu'elle aura perdu confiance en elle-même, en son jugement et en ses capacités. Les agresseurs d'enfants, de femmes et de vieillards utilisent cette technique efficace depuis que le monde est monde, et ça fonctionne toujours!

Comme l'enseigne l'analyse transactionnelle[11], nous avons à l'intérieur de nous un parent aidant et un parent critique. Lequel des deux écoutes-tu le plus souvent? Si c'est le parent critique qui mène le bal dans tes conversations intérieures, sache que son grand maître, l'ego, te contrôle par la peur en te gardant dans la culpabilité et la honte d'être ce que tu es.

Si, par contre, tu es plus attentif à «cette petite voix tranquille», à cette partie divine en toi, c'est ton parent aidant qui valide qui tu es, qui t'accepte dans ta condition humaine et t'encourage à évoluer par l'apprentissage de l'amour.

La confiance en toi-même est essentielle pour réussir ta vie, et la qualité de tes relations interpersonnelles y est pour beaucoup. De là l'importance de bien choisir avec qui tu passes ton temps. Si tu ne vois pas l'admiration dans les yeux des gens que tu fréquentes et que tu ne te sens pas respectée comme personne, je te suggère de changer de *gang* au plus vite! L'amour exige l'admiration et le respect, et tu n'arriveras jamais à garder l'estime de toi-même à la hausse avec des relations sabotantes qui grugent la confiance que tu as en toi-même.

---

11. Thomas A. Harris, *D'accord avec soi et les autres*, Paris, EPI, 1973.

L'ombre, ce côté mal aimé de soi

Pour en arriver à aimer inconditionnellement, nous devons d'abord nous accepter exactemment comme nous sommes et comme nous ne sommes pas maintenant. Cela implique, entre autres, l'intégration de nos émotions, de nos besoins et de nos désirs paralysés par la honte. John Bradshaw écrit:

> *La plupart des êtres foncièrement mortifiés éprouvent de la honte lorsqu'ils ont besoin d'aide, lorsqu'ils sont en colère, tristes, effrayés ou joyeux et lorsqu'ils s'affirment ou ressentent du désir sexuel.* **Ils se sont coupés de ces parties essentielles d'eux-mêmes.** *(Le gras est de moi.)*

Beaucoup de personnes se comportent comme si elles étaient toujours au-dessus de leurs affaires, comme si elles n'avaient jamais besoin de rien ni de personne. J'ai découvert depuis un bon moment que je faisais partie de cette catégorie de gens et à quel point il était honteux pour moi d'avoir besoin d'aide. En poussant un peu plus loin la réflexion, je me suis rendu compte que j'avais même honte d'avoir des besoins légitimes, que je ne pouvais pas compter sur personne et que je devais toujours me débrouiller toute seule.

Dès notre petite enfance, nous avons pris des décisions à la suite de nos interprétations des événements. À moins de faire plus tard un travail d'éveil de conscience, nos décisions négatives coloreront tous nos choix et toutes nos expériences de vie.

Se sentir honteux d'avoir des besoins est un sentiment très fréquent chez beaucoup d'enfants. Souvent, parfois même sans que des mots soient prononcés à cet effet, beaucoup d'entre nous avons reçu des messages négatifs de nos parents: nous étions «bien du trouble», nous «coûtions très cher» et pour être apprécié, il fallait être tranquille et obéir sans dire un mot. Alors, suprême compliment, nous étions un bon enfant! Très tôt, nous avons compris que pour être aimés, nous devions répondre aux besoins de nos parents et nous avons conclu qu'il était beaucoup mieux pour nous de ne rien demander. Nous avons expérimenté qu'en risquant une requête, même minime, nous nous exposions à un refus, à la réprimande, à l'humiliation, au rejet, en un mot, à ce qu'on nous coupe notre nourriture essentielle: l'appréciation et l'amour dont nous avions tant besoin pour bâtir notre estime de soi.

Alors, l'enfant meurtri dans son besoin de dépendance légitime se replie sur lui-même et se tait. Il refoule ses sentiments et ses émotions qui, à la longue, se putréfient dans son intérieur. Car ce qui ne s'exprime pas s'imprime. Malheureusement, si les refoulements non gérés persistent, cela créera des déviations, qui se manifesteront plus tard en dépendances importantes et destructrices pour l'estime de soi.

Nous nous demandons comment il se fait qu'il y a tant de violence dans nos sociétés dites évoluées. La réponse est là: nous ressemblons à des prestos survoltés par la vapeur de nos colères, de nos frustrations, de nos tristesses et de nos dépressions refoulées. Ces émotions non exprimées éclaboussent et blessent tout ce qui nous entoure; même la planète Terre en souffre et paye la note de nos meurtrissures ignorées et non soignées.

Nos parents et nos éducateurs, la plupart pétris de honte, n'étaient pas équipés pour recevoir ni pour accepter ce qui existait dans notre intérieur. Bafoués comme nous dans leur senti quand ils étaient jeunes, il leur était humainement impossible de tolérer l'expression de ces émotions qui ravivaient la douleur de leurs blessures non guéries. Comment auraient-ils pu accepter que nous verbalisions notre vérité quand ils ne se permettaient même pas de se regarder eux-mêmes et encore moins de se laisser voir imparfaits à nos yeux? Ils étaient, comme nous, dans des rôles rigides de faux moi qui refusent totalement l'ombre, comme le nomme le psychanaliste Carl Jung. Jouer des rôles de parfaits est un système de défense de prédilection pour des honteux. Malheureusement, comme le dit si bien Pascal: «*Qui veut faire l'ange fait souvent la bête.*»

Mais qu'est-ce au juste que l'ombre? Voici ce qu'écrit Jean Monbourquette à ce sujet:

L'ombre, c'est tout ce que nous avons refoulé dans l'inconscient par crainte d'être rejetés par les personnes qui ont joué un rôle déterminant dans notre éducation. Nous avons eu peur de perdre leur affection en les décevant ou en créant un malaise par certains de nos comportements ou certains aspects de notre personnalité.

Donc, pour répondre aux attentes des personnes dont nous dépendions, nous avons dû, pour survivre (être aimés), reléguer aux oubliettes de notre inconscient tout ce qui pouvait créer la désapprobation dans nos manières d'être et de faire.

Ignorer des parties de nous-même crée toujours des conséquences désastreuses pour l'estime de soi et, conséquemment, pour la qualité de nos relations et de notre vie. Par exemple, ne pas reconnaître la présence de petits rongeurs dans les murs de notre maison créera, un jour ou l'autre, de graves problèmes à résoudre. Tenter de les oublier ne les fera pas disparaître; au contraire, cela aggravera sans aucun doute la situation avec le temps.

Personnellement, j'ai été entraînée, comme il arrive souvent aux aînés de famille, à penser aux autres d'abord, à pratiquer «religieusement» ce principe supposément chrétien tant valorisé dans notre génération, surtout pour les femmes. Fortement encouragée par la religion, je m'en suis fait un principe de vie important. Cependant, à l'adolescence, j'ai commencé à m'ouvrir les yeux et à me sentir un peu frustrée et souvent perdante. Comme j'avais un grand besoin d'être appréciée et aimée, j'ai vite pris conscience que le fait de dire NON aux demandes exprimées était non seulement inacceptable, mais voué à l'échec pour ce que je recherchais.

Je me suis donc retrouvée au service des autres, du moins pendant une grande partie de ma vie. Je sentais qu'on me «tenait pour acquise». Mes besoins personnels étaient très souvent oubliés ou tout simplement ignorés. J'ai conclu que je devais donc ne compter que sur moi-même. Pour confirmer la justesse de mon analyse, mon grand-père me disait régulièrement: «Violette, on n'est jamais si bien servi que par soi-même!» Et... je l'ai cru.

Je me rappelle cependant avoir essayé de sortir à quelques reprises de «mes sentiers battus» en pensant à moi d'abord. Ce fut le scandale! «Qu'est-ce qui te prend, toi qui es si attentive aux autres d'habitude! Tu ne vas quand même pas devenir égoïste!» J'ai reçu alors le message que penser à moi était anormal (pas féminin), égoïste (un des terribles péchés capitaux!), condamnable et, conséquemment, honteux. Comme la honte est souvent créatrice de culpabilité et vice versa, je suis devenue, en plus, coupable d'avoir des besoins et de vouloir les satisfaire. Et v'lan! Une autre honte chapeautée de culpabilité à enfouir dans mon inconscient. Une autre bonne raison de ne pas m'aimer et de me punir en me sabotant par des moyens de plus en plus subtils et non moins efficaces.

De par mon éducation, j'avais conclu qu'être égoïste pour une femme était la pire des calamités. Alors, pour être reconnue comme une «bonne personne», j'ai souvent caché avec beaucoup de honte ce goût de penser à moi en jouant les «femmes-dévouées-qui-ne-pensent-jamais-à-elles»; bon préalable à la création d'êtres qui se sentent frustrés, abandonnés, tristes et en colère vis-à-vis de leur entourage et de la Vie!

Maintenant, je te propose trois exercices qui te demanderont beaucoup de courage et de détermination. Cette étape confrontante est importante à la renaissance de l'estime de soi. Ces exercices feront sortir de l'ombre ces choses que ton ego a qualifiées de «terribles», que tu te caches à toi-même, aux autres et qui te font tant de mal. Ces découvertes te permettront de mieux te comprendre, de t'accepter tel que tu es et d'apprécier ces côtés mal aimés de toi.

Exercice d'intériorisation N° 5
Reconnaître l'ombre: les hontes de ma vie

Note

La honte est au niveau de l'ÊTRE, de notre identité. La culpabilité est au niveau du FAIRE, de nos comportements. Cependant, les deux sont souvent étroitement liés et entraînent toujours une diminution de l'estime que nous avons pour nous-même.

Instructions

Après avoir pris un temps de détente et de méditation, fais une liste des hontes vécues dans tous les domaines depuis le début de ta vie et celles que tu expérimentes présentement, sans filtrer, sans évaluer et sans condamner. Sois ouvert, patient et compatissant envers toi-même: si tu es le moindrement conscient, il se peut que tu remplisses des pages et des pages! Tu peux commencer tes phrases par ce qui suit ou par toute autre formule qui te convient. Je te conseille de brûler (symbole de purification) ces feuilles après avoir complété l'exercice.

PASSÉ

J'ai eu honte d'ÊTRE... / ... de ne pas ÊTRE...
J'ai eu honte de FAIRE... / ... de ne pas FAIRE...
J'ai eu honte d'AVOIR... / ... de ne pas AVOIR...

PRÉSENT

J'ai honte d'ÊTRE... / ... de ne pas ÊTRE...
J'ai honte de FAIRE... / ... de ne pas FAIRE...
J'ai honte d'AVOIR... / ... de ne pas AVOIR...

Exercice d'intériorisation N° 6
Reconnaître l'ombre:
les culpabilités de ma vie

(Voir la note et les instructions de l'exercice n° 5.)

Tu peux commencer tes phrases par ce qui suit, ou tu peux utiliser une tout autre formule qui te convient.

PASSÉ

Je me sentais coupable d'ÊTRE... / ... de ne pas ÊTRE...
Je me sentais coupable lorsque je FAISAIS... /
lorsque je ne FAISAIS pas...
Je me sentais coupable d'AVOIR... / ... de ne pas AVOIR...

PRÉSENT

Je me sens coupable d'ÊTRE... / ... de ne pas ÊTRE...
Je me sens coupable de FAIRE... / ... de ne pas FAIRE...
Je me sens coupable d'AVOIR... / ... de ne pas AVOIR...

Exercice d'intériorisation N° 7
Reconnaître l'ombre: les manques de confiance en moi-même

Instructions

En te référant aux différents domaines de ta vie nommés ci-dessous, identifie et inscris ce qui te manque et les peurs précises qui font que tu n'as pas confiance en toi dans ces domaines. Pour ce faire, demande-toi, par exemple: «Qu'y a-t-il en moi qui me fait me sentir gauche, démuni, incapable, inférieur, impuissant, mal à l'aise, pas à la hauteur?»

1. Intelligence: _____

_____

_____

2. Apparence physique et santé: _____

_____

_____

3. Travail: _____

_____

_____

4. Relations interpersonnelles (parenté, amis, amours, relations homme-femme, travail, etc.): _____

_____

_____

_____

_____

5. Vie sexuelle: _____

_____

_____

6. Vie spirituelle (vie intérieure): _____

_____

_____

7. Relation avec l'argent et les possessions matérielles: ____

_____

_____

_____

8. Statut social: _____

_____

9. Groupe d'âge: _____

_____

10. Sports, activités physiques, loisirs: _____

_____

_____

11. Implications sociales: _____

_____

12. Créativité:_____

_____

13. Personnalités: Avec qui en particulier ou avec quels genres de personnalité te sens-tu mal à l'aise, gauche, démuni, inférieur, pas à la hauteur, etc.?_____

_____

_____

_____

_____

14. Autres: _____

_____

_____

_____

Félicitations!

Si tu as choisi de faire les exercices que je t'ai proposés, je te félicite du fond du cœur pour ton courage, ta détermination et ton engagement à faire ce que tu crois devoir faire pour en arriver à t'aimer de plus en plus. Tu devrais maintenant avoir plus de facilité à trouver et à nommer tes sentiments, à pouvoir reconnaître la nature de tes expériences. Tu devrais aussi être beaucoup plus conscient de ce qui rehausse ou sabote l'estime que tu as de toi-même.

Si, toutefois, tu as choisi de ne pas investir dans les exercices d'intériorisation, je voudrais t'informer qu'en faisant cela, tu as ajouté au contenu de ton mental déjà chargé des renseignements qui ne changeront pas vraiment la qualité de l'estime que tu as de toi-même. Le domaine des idées est important, agréable et très utile; cependant, ce n'est pas dans notre tête que s'expérimente la Vie! C'est par nos expériences vécues que nous en arrivons à intégrer et à SAVOIR vraiment quelque chose. Par exemple, il y a une grande différence entre avoir lu l'exercice sur les hontes (n° 5) et l'avoir fait! C'est à peu près comme regarder passer un train et être dedans: dans le premier cas, tu es dans l'observation (le mental, «dans ta tête») et dans le second, tu vis l'expérience (le senti).

Allons, un peu de courage! Demande à ton Dieu intérieur la motivation de retourner un peu en arrière et, si c'est ton choix, fais ces exercices qui te permettront d'obtenir de bien meilleurs résultats face à ce désir de ton cœur de t'aimer davantage.

Je pense à toi et à tous ceux qui résistent à faire des recherches par écrit pour mieux se connaître et améliorer leurs conditions de vie. Commence par faire un exercice; tu verras bien si cette façon de faire te soutient dans ta démarche d'amour inconditionnel. Rappelle-toi: *c'est l'expérience qui fait la différence!*

Allons-y maintenant pour le rétablissement et la guérison de nos âmes blessées.

Troisième partie

Rétablissement et guérison de nos blessures

Soit que nous fassions notre propre mal-heur, soit que nous fassions notre propre bonheur. La somme de travail est la même.

Don Juan
Le voyage à Ixtlan

D'abord, accepter ce qui est

> *Il est un principe fondamental en psycho-*
> *thérapie: on ne peut changer à l'intérieur*
> *de soi que ce que l'on a d'abord accepté.*

Jean Monbourquette

Comme tu as acheté ce livre, que tu es en train de le lire présentement, et à plus forte raison si tu as fait les exercices d'intériorisation, il est évident que tu as choisi d'élever ton niveau de conscience. Tu veux ainsi sortir du troupeau des morts-vivants et apprendre à t'aimer d'abord, pour mieux aimer les autres ensuite. C'est une idée divine qui te mènera loin sur un chemin de vie parsemé de défis à ta mesure et d'expériences revalorisantes d'amour et de succès.

Dans cette ère de divertissements qu'est la nôtre, ce n'est pas tellement *in* de vouloir «dé-couvrir» ce que nous avons mis tant de mal à cacher aux autres, et surtout à nous-même. Notre société souffrante nous encourage fortement d'ailleurs à nous «geler» par de nombreux moyens; ceux-ci anesthésient nos douleurs et nous font dévier de la découverte de notre puissante nature divine et de notre raison d'être sur la terre.

Un de mes auteurs spirituels préférés, cette âme inspirée et inspirante qu'est Placide Gaboury[12], écrit:

> *On atteint le Divin en nous en commençant par le perdre.*
> *On s'en rapproche tout d'abord en s'éloignant. La décou-*
> *verte des obscurités, des laideurs, des obstacles, des révoltes,*
> *des refoulememts et des passions en nous est la première*
> *étape à franchir. Il faut commencer par se reconnaître*
> *sans se mentir. Il faut ensuite s'accepter sans broncher et*
> *apprendre à s'aimer dans cet état-là, non comme on serait*
> *si on n'était pas ainsi, non comme on sera dans dix ans,*
> *non comme on était quand on se croyait «meilleur».*

---

12. Placide Gaboury, *Rentrer chez soi*, Boucherville, Éditions De Mortagne, 1988.

L'acceptation motivée par l'amour de «ce qui a été», de «ce qui est», de «ce que nous avons été» et de «ce que nous sommes» est le préalable à la connaissance et à l'estime de soi. Reconnaître et accepter notre ombre comme faisant partie de nous-même nous permettront de faire la paix avec notre monde intérieur et d'être plus authentique dans nos relations avec les autres.

Le travail personnel que tu as fait précédemment (ou quelques autres travaux du même genre) constitue un facteur important pour quiconque souhaite évoluer spirituellement et devenir une personne équilibrée, aimante et plus joyeuse.

Même si nous savons qu'accepter est primordial pour le rétablissement de l'estime que nous avons pour nous-même, il n'est pas nécessairement facile d'y arriver. Nous pouvons peut-être admettre nos sentiments de honte et de culpabilité face à certaines de nos manières d'être et de faire du passé, ce qui ne veut pas automatiquement dire que nous les avons acceptées. Par exemple, je peux admettre (reconnaître comme évident) avoir fait du tort à quelqu'un sans pour cela accepter ce fait sans me condamner. L'acceptation, c'est une expérience intérieure de pardon et d'amour inconditionnel face à soi-même ou aux autres.

Comme la plupart d'entre nous ont vécu peu d'expériences d'acceptation inconditionnelle, il nous est très difficile d'appliquer ce concept dans nos rapports avec nous-mêmes et les autres.

En tant que mère, j'ai eu un sérieux problème d'acceptation face à certains comportements de mon fils étiqueté «hyperactif» par les «experts». Comme les choses s'envenimaient à mesure qu'il grandissait, j'ai donc choisi de me prendre en main et de suivre une thérapie afin de découvrir ce que je pouvais changer *en moi* pour améliorer mon rôle de mère et nos conditions familiales qui se détérioraient. C'est alors que j'ai pris connaissance d'un grand secret:

*L'acceptation est la première étape pour faire avancer
et changer les choses.*

J'ai appris, depuis lors, qu'avoir entendu parler de quelque
chose et le vivre sont deux choses différentes! J'ai travaillé très
fort à vouloir accepter sans jamais vraiment y arriver. C'est
alors que mon thérapeute — quel homme sage! — m'a donné
un autre secret concernant l'acceptation:

*Si tu n'arrives pas à accepter, pardonne-toi et accepte
que tu n'acceptes pas maintenant, sans t'invalider.*

L'acceptation et le pardon guérissent et mettent fin aux
jeux malsains de la culpabilité. Quel cadeau divin pour une
maman... et les autres!

Se pardonner à soi-même

Étant donné l'imperfection de nos intentions, de nos tentations et de nos réalisations, étant donné l'aspect fini et faillible de ce que nous appelons notre humanité, la seule chose qui puisse nous sauver, c'est le pardon.

David Augsburger

Pardonner est un mot rempli d'amour, de chaleur et de force. Il suggère un relâchement, un abandon des douleurs et une détente qui ont le pouvoir d'adoucir, de guérir, de réunir et de recréer.

Après l'acceptation de «ce qui a été», le processus pour reconstruire notre estime de soi demande de nous pardonner à nous-même, ce qui nous permettra de pouvoir pardonner aux autres par la suite.

Nous sommes souvent très attachés à nos hontes, à nos cul-pabilités et à nos manques de confiance en nous-même, exacte-ment comme des dépendants aux substances intoxicantes: nous avons besoin de nos «petites doses» quotidiennes pour nous gar-der «accrochés». Il nous est difficile de lâcher le morceau et de nous libérer de ce qui nous empêche de nous aimer tels que nous sommes afin de reconnaître la splendeur de notre vraie nature. Étrangement, *l'être humain entretient les dépendances parce qu'il a beaucoup de difficultés à VIVRE LIBRE.*

Dans la même ligne de pensée, on pourrait se demander pourquoi nous travaillons sans relâche à nous invalider, à nous diminuer et même à nous mépriser comme personnes. Nous avons un pseudo-cadeau important à nous sentir impuissants, pas à la hauteur et dans le non-mérite: les traitements intérieurs quotidiens d'invalidation que nous nous infligeons nous per-mettent de jouer nos petits jeux de personnes médiocres, de peureux, de paresseux et de sans idéal. Alors, nous n'avons pas à prendre la responsabilité de qui nous sommes vraiment: des êtres spirituels extraordinaires et superpuissants.

Souvent nous préférons nous plaindre sur la vie, sur l'état de notre société, sur nos incompétences, nos maladies et nos malchances plutôt que de nous «retrousser les manches» et de créer de toutes pièces ce que notre cœur désire.

Pour ce qui est du pardon, souvent lorsqu'il en est question, nous mettons l'accent sur le pardon aux autres: «Je lui ai pardonné!» disons-nous. Cela paraît tellement bien! Or, c'est d'abord à nous-même que nous avons à pardonner les plus grands manques constants d'amour et de respect.

* * *

Nous en sommes maintenant au moment le plus important de la démarche vers la réalisation de l'estime de soi qui te demande de cerner avec précision tes manques d'amour face à toi-même et de consentir à te pardonner totalement et pour toujours.

Car pour en arriver à nous aimer tels que nous sommes, il est essentiel de nous pardonner à nous-même. Il est aussi très important de consentir à pardonner à tous ceux par qui nous avons eu mal dans notre vie. Dans ce livre, j'ai voulu cependant concentrer mon attention sur nos manières de nous traiter afin de changer ce qui ne peut être transformé que par nous.

Pour ce qui a trait au pardon à donner aux autres, je ne traiterai pas ici de cette si importante démarche. Je te suggère fortement un livre de Jean Monbourquette, *Comment pardonner?*[13], qui m'a été d'un très grand secours alors que j'étais coïncée dans le ressentiment envers une personne significative dans ma vie. De plus, j'ai moi-même longuement élaboré sur ce sujet si important pour la paix intérieure dans une précédente parution[14].

---

13. Jean Monbourquette, *Comment pardonner?*, Ottawa, Novalis, 1992.
14. Violette LeBon, *Le secret de la prospérité: la spiritualité, op. cit.*

Afin de te soutenir à réaliser ton rêve de t'aimer inconditionnellement, j'ai créé pour toi les deux exercices d'intériorisation suivants.

Exercice d'intériorisation N° 8
Pardon des manques d'amour envers moi-même

Instructions

Cet exercice te permettra d'éliminer, par des négations et des affirmations, des façons de penser, de parler et d'agir qui t'empêchent de t'expérimenter comme une personne d'une grande valeur. L'école de christianisme Unité[15] appelle cette façon de procéder «la prière scientifique»; je l'explique abondamment dans mon premier bouquin[16]. Ce qui suit est de mon cru, mais tu peux formuler tes demandes à l'Univers de la façon qui te convient.

- Je reconnais l'authenticité de ces révélations concernant les façons dont je me suis traité par le passé.
- J'accepte maintenant sans jugement qu'il en ait été ainsi.
- Je reconnais que j'ai fait ce qui m'a semblé la chose à faire à ces moments-là.
- Je refuse de continuer de nourrir ces sentiments de honte et de culpabilité toxiques qui m'empêchent de m'aimer tel que je suis et de jouir des cadeaux que la Vie m'offre.
- Je suis compatissant et je me pardonne tous mes manques d'amour envers moi-même.
- Je m'accepte et je m'aime tel que je suis et tel que je ne suis pas maintenant.
- Je laisse aller mes peurs et je consens maintenant à évoluer uniquement dans l'amour.

---

15. Centre Unité de Montréal, 3455, rue Girouard, Montréal.
16. Violette LeBon, *Tête-à-tête avec son ange gardien*, Montréal, Éditions Quebecor, 1996, p. 117.

Exercice d'intériorisation N° 9
Je m'aime inconditionnellement

Instructions

Afin d'en arriver à t'aimer inconditionnellement, il est primordial que tu élimines cette habitude néfaste de ruminer tes erreurs passées et que tu te pardonnes à fond. Un outil très efficace pour ce faire est cette déclaration à l'Univers qui suit:

Une fois par jour, place-toi devant ton miroir et répète à haute voix et avec intensité:

«Moi, _____ (ton nom au complet), je me pardonne tous mes manques d'amour envers moi-même.

Je m'aime sans condition maintenant.

Je ne suis pas perturbé par mes erreurs du passé ni par mes défauts et mes déficiences.

Je reconnais que j'ai eu besoin de ces expériences pour l'évolution de mon âme et j'en suis reconnaissant.

Je m'admire tel que je suis et tel que je ne suis pas maintenant.

Je n'ai pas à changer pour m'aimer sans condition maintenant.

Je n'ai rien à changer pour être digne d'être aimé maintenant.

Je suis reconnaissant pour tout ce que je suis et pour tout ce que je deviens.

Merci, mon Dieu, de m'aimer inconditionnellement.

D'autres moyens pour rehausser l'estime de soi

Les livres sur la honte de John Bradshaw et de Jean Monbour-quette, mentionnés précédemment, suggèrent plusieurs moyens efficaces pour retrouver l'estime de soi que nous avons perdue dès notre petite enfance. Je ne veux pas répéter ici dans mes mots ce qu'ils ont si bien expliqué. Cependant, j'ajoute à leurs idées géniales des façons de faire et des livres de référence qui m'ont beaucoup éclairée dans ma démarche pour devenir ce que je veux être. C'est plus fort que moi: j'aime tellement partager ce que j'ai si généreusement reçu!

Nourris-toi spirituellement

DIEU D'ABORD! «...et le reste te sera donné par surcroît!» On nous l'a promis.

Si tu fais de la présence de Dieu en toi ta priorité, je te pro-mets de divins raccourcis pour arriver à manifester dans ta vie les désirs profonds de ton cœur. Nous avons tous un grand besoin de nous sentir aimés afin de vouloir continuer notre chemin de vie; la prière et la méditation sont des moyens infaillibles pour établir le contact conscient avec l'Amour incon-ditionnel qu'est Dieu. Il n'est pas nécessaire d'aller en Inde, de se retirer du monde, de s'agenouiller ou d'aller à une église pour ces pratiques spirituelles: il s'agit tout simplement de prendre du temps et de faire le silence en nous afin d'établir la communication avec ce que j'appelle le «Gros Câble»: la Source d'Amour inconditionnel.

La plupart d'entre nous ont à apprendre à faire confiance, à croire que le Créateur sait très bien ce qu'Il fait; convenons que Sa vision des choses est beaucoup plus étendue et élevée que la nôtre! Arrêtons de nous prendre pour le P.-D.G. de l'Univers, abandonnons cette habitude ridicule de vouloir tout contrôler. Reconnaissons enfin qu'il existe une Puissance plus

grande que nous qui est en charge et qui connaît Son affaire!
Notre existence sera ainsi beaucoup moins stressante, plus
reposante et plus agréable à vivre.

Dans mon livre *Tête-à-Tête avec son ange gardien* dont le
sous-titre est *Outils pour un voyage intérieur*, je suggère et j'explique clairement les moyens suivants pour établir et maintenir
un contact direct avec le Divin: la méditation bien sûr, l'aligne-
ment quotidien par la prière scientifique (négations et affirmations), l'inventaire journalier, le journal intime et l'interprétation
des rêves. Comme je l'ai déjà mentionné, oui, cela demande du
temps! Le temps et l'attention que l'on porte à quelqu'un ou à
quelque chose témoignent sans l'ombre d'un doute de l'importance qu'on lui donne dans notre vie.

Prends bien soin de toi

C'est primordial! L'enseignement de Jésus de Nazareth est très
clair: «*Aime ton prochain comme toi-même.*» Jamais nous ne
nous aimerons trop. Nous avons à faire preuve de générosité à
notre égard. Ce «travail d'amour», comme Bradshaw l'appelle,
consiste à te mettre à l'écoute de ton monde intérieur, de tes
besoins, de tes désirs et de qui tu es vraiment. Cette démarche
demande une intention ferme et de la discipline. Il est souvent
relativement facile de répondre aux besoins des autres, d'autant plus qu'on a tellement sublimé cette façon de faire qui, souvent, faisait bien l'affaire de nos figures d'autorité! Avec un tant
soit peu de perspicacité, si tu décodais le «Pense aux autres!»,
souvent, tu pouvais entendre «Arrête de penser à toi et pense à
moi»!

Beaucoup d'entre nous doivent apprendre à s'accorder du
temps et de l'attention sans avoir honte ou se sentir coupables.
Tu es la personne la plus importante *pour toi* sur terre! Pratiquer à te traiter comme tu voudrais être traité par les autres est
un excellent moyen de reconnaître ta valeur intrinsèque, de te
respecter et, par conséquent, de rehausser l'estime de toi-
même. Du même coup, en répondant à ton besoin d'être

reconnu comme une personne de valeur, il est moins dangereux que tu glisses dans la dépendance en attendant des autres qu'ils comblent ce besoin humain de validation. Les dépendances nous font toujours souffrir; de plus, lorsque nous nous retrouvons dans le besoin, nous perdons notre liberté. Comme l'a chanté Jean Gabin: «[...] *et ça, je le sais!*»

Reconnais et valide tes souffrances d'enfant

[...] nous ignorons à quel point nous sommes vraiment déprimés et en colère face au passé. Nous ne ressentons pas vraiment notre souffrance non résolue, car notre faux moi et ses défenses nous en empêchent. John Bradshaw

Nous avons tous, plus ou moins, à sortir du déni, de la dénégation de ce qui a été dans le passé avant de pouvoir changer quoi que ce soit, surtout si nous sommes issus de «bonnes familles»! F. Perls[17], le fondateur de l'approche psychologique gestaltiste, dit: «*Les choses ne peuvent changer tant qu'elles ne sont pas devenues ce qu'elles sont vraiment.*»

En raison de mes valeurs personnelles, j'ai beaucoup de difficulté à comprendre que la plupart des gens passent énormément de temps à «se tenir au courant» de ce qui se passe dans le monde, alors qu'ils sont absolument inconscients de ce qui se trame dans leur monde intérieur concernant leur propre vie. Ça me dépasse! Mais enfin, chacun ses valeurs et chacun SON chemin de vie.

Nos souffrances non reconnues et refoulées sont des obstacles importants à notre développement personnel. Dévoiler et valider tes souffrances passées et présentes (notre passé est présent dans notre présent) te permettra de mieux te comprendre, de t'accepter tel que tu es maintenant et d'expérimenter de la compassion pour cet enfant blessé en toi qui demande

---

17. F. Perls, cité par John Bradshaw dans *La famille*, Laval, Éditions Modus Vivendi, 1992.

d'être aimé sans condition afin de pouvoir grandir plus harmonieusement.

De nos jours, il existe de multiples façons de faire une démarche en connaissance de soi et lorsque l'intention est claire et bien arrêtée, les moyens apparaissent dans l'Univers. «Quand l'élève est prêt, le maître apparaît!»

Connais tes vrais besoins

Si tu ne connais pas tes besoins, certaimes personnes de ton entourage (qui, elles, savent ce qu'elles veulent) pourraient bien de demander de répondre à leurs désirs; elles pourraient même en arriver à te faire croire que tu devrais avoir besoin de ceci ou de cela ou, pis encore, que tu n'as vraiment besoin de rien. Comme le dit si bien un dicton populaire: « Si tu ne t'organises pas, tu te feras organiser!»

Quand tu auras dévoilé tes souffrances d'enfant, il te sera relativement facile de découvrir tes vrais besoins. Tu n'as pas à avoir le génie d'Einstein pour comprendre qu'avant de pouvoir satisfaire tes besoins, il te faut les connaître. Ça aussi, personne ne peut le faire pour toi. C'est ton boulot!

Choisis d'être conscient

Je te conseille de lire un livre inspirant sur la conscience qu'a écrit une de mes auteures préférées, Sonaya Roman; son titre: *Choisir la conscience*[18]

Afin d'entrer en contact avec notre puissance personnelle d'héritiers divins, nous devons nous sortir de l'amnésie collective et de la torpeur de nos vieilles routines. Ainsi, nous pourrons nous créer une vie terrestre intéressante, enthousiasmante et créatrice de projets inspirants. Regarder passer la parade du père Noël le 24 décembre peut être amusant et même intéressant.

---

18. Sonaya Roman, *Choisir la conscience,* Bourron-Marlotte (France), Éditeur Ronan Denniel, 1986.

Mais la même parade pendant des années peut devenir ennuyeuse à la longue!

Choisir d'être conscient te demandera encore du temps et de la patience, mais jamais tu ne le regretteras. C'est aussi une façon très intelligente de prendre bien soin de toi, car en étant présent à ce qui se passe en toi et dans ta vie, tu t'éviteras des répétitions d'expériences malencontreuses. Quand je parle d'être conscient, parfois des gens me disent: «Je ne veux rien savoir!» Et... l'Univers répond à leur demande: ils ne savent rien!

Dans son livre *Jouer le tout pour le tout*[19], Carl Frederick étiquette ce genre de personnes de «parfaits imbéciles inconscients». Sacha Guitry a écrit que lorsqu'on cite quelqu'un, on doit en prendre la responsabilité. Ce que je fais à l'instant. Mon ego vient de me dire: «Tu juges!» Eh oui! Excuse-moi si je ne suis pas parfaite; Dieu n'en a pas fini avec moi.

Prends conscience de ton dialogue intérieur

Notre dialogue intérieur est notre nourriture quotidienne: si nous ingurgitons du *«junk food* mental» régulièrement, notre estime de soi s'atrophiera de plus en plus.

Une des façons de connaître ton attitude envers toi-même, envers les autres et envers la Vie est de prendre conscience de ton bavardage intérieur, qui est la conséquence des enregistrements de ton enfance. Nous avons tous des enregistrements mentaux qui nous jouent sans cesse des paroles qu'on nous a répétées et répétées dans le passé, sans compter ceux que nous y avons ajoutés.

Pour prendre conscience de tes enregistrements mentaux, fais cette expérience: ferme tes yeux et écoute pendant quelques instants ce que te dit ta voix intérieure. Entends-tu la voix? Non? C'est la voix qui dit: «Quelle voix? Je n'entends pas de voix!»

---

19. Carl Frederick, *Jouer le tout pour le tout*, coll. Actualisation, Montréal, Le Jour, 1979.

Nos parents n'ont plus besoin d'être là pour nous répéter leurs commentaires ou leurs conseils; même s'ils sont décédés, nous les entendons constammment. Les psychologues estiment que le cerveau d'une personne dite normale emmagasine environ vingt-cinq mille heures de ces enregistrements, que Frederick Perls nomme «voix parentales introjectées».

En plus de tout ce que nous avons comme collection de messages de notre enfance, quand une expérience de vie se présente à nous (et surtout si cette situation ressemble un tant soit peu à une de nos histoires du passé), notre ego (le mental), qui manque de subtilité et d'imagination, dit: «Quand ça se ressemble, c'est pareil!» Et vlan! Le bouton EN MARCHE de notre magnétophone s'enfonce automatiquement et la bande sonore des pensées/émotions de notre passé rejoue à tue-tête et en stéréo dans notre monde intérieur. Nous avons oublié que notre appareil avait aussi un bouton ARRÊT (notre libre arbitre) que nous pouvons utiliser lorsque l'enregistrement nous fait du tort; avec la grâce de Dieu, nous pouvons même en effacer le contenu puisqu'avec lui, tout est possible...

Qu'est-ce que tu choisis? Agiras-tu en automate ou en personne responsable de ta nature d'être divin superpuissant? La pensée crée; il est donc essentiel d'apprendre à contrôler tes pensées qui habitent ton mental si tu désires rebâtir l'estime que tu as pour toi-même. Madeleen DuBois, une conférencière que j'admire, écrit un livre très inspirant sur le sujet: *Comment contrôler sa pensée*[20]. Je te suggère de le lire.

Découvrir la nature de tes dialogues intérieurs est primordial, puisque la façon dont tu te parles détermine les événements, les personnes et les objets que tu attires. De plus, ces conversations avec toi-même t'informent clairement et régulièrement sur ta façon de te percevoir, d'évaluer les gens, le monde, la Vie. Elles t'informent également sur tes intérêts et, surtout, sur la manière dont tu te traites et, par conséquent, que tu traites les autres.

---

20. Madeleen DuBois, *Comment contrôler sa pensée*, Montréal, Éditions Quebecor, 1995.

Nos pensées créent notre réalité; elles vont dans le monde et affectent aussi les autres. Alors, avant de demander aux gens de ton entourage de changer certains de leurs comportements à ton égard, tu dois commencer par cerner et changer les manières dont tu te parles à longueur de journée et... de nuit. Écoute-toi! Entends-toi! Et lorsque tu te surprends à te traiter d'idiot ou d'imbécile après avoir gaffé, déclare immédiatement avec ardeur: Rejeté! Ensuite, excuse-toi, demande-toi pardon et ajoute: _____ (ton nom au complet), je t'aime inconditionnellement maintenant et pour toujours!»

As-tu entendu ta voix intérieure te dire: «Dieu que c'est kétaine et cucul!» Peut-être! Mais c'est un excellent moyen d'arrêter l'autodestruction, de neutraliser et de transformer les genres d'énergies négatives que nous créons et que nous émettons automatiquement aux autres. Et... ça marche pour améliorer l'estime de soi! Qu'est-ce qui est important? Avoir l'air intelligent ou être intelligent?

Choisir d'être conscient, c'est choisir d'être bien vivant, d'expérimenter et de jouir de tous les instants de la Vie pour ce qu'ils sont: des dons gratuits et des occasions d'évoluer de plus en plus harmonieusement tout en contribuant aux autres.

Fais l'inventaire de tes croyances et de tes valeurs

En observant les caractéristiques de ta qualité de vie, il te sera relativement facile de connaître les principales valeurs et croyances qui régissent ton existence. Par exemple, si, aujourd'hui, tu as 12,34 $ en banque, il est probable que tu sois dans le non-mérite et que tu ne croies pas que l'abondance te revient de droit divin ces temps-ci! Et il en est ainsi pour tous les domaines: le contenu de ta vie physique parle des caractéristiques de ton attitude intérieure. C'est Emmet Fox [21] qui a écrit: «*C'est le dedans qui est la cause du dehors.*» Pas toujours facile à croire, j'en conviens! Surtout quand on se dit très positif et que ça va vraiment mal dans sa vie!

---

21. Emmet Fox, *Le pouvoir par la pensée constructive*, Paris, Éditions Astra.

Pour nous, êtres humains, changer une valeur ou une croyance est un contrat de taille! Même lorsqu'une croyance ne nous sert plus et nous fait du tort, nous continuons, malgré nos expériences négatives, de l'entretenir de nos énergies par des pensées et des émotions de même nature. Souvent, nous servons les croyances au lieu que ce soient les croyances qui nous servent. Par exemple, croire que tu ne mérites pas d'être aimé inconditionnellement ne contribue pas à augmenter ta joie de vivre ni l'estime de toi-même. Et pourtant... régulièrement, assidûment et constamment, tu te radotes intérieurement cette fausse idée qui te fait du mal. Les pensées et les émotions entretenues produisent TOUJOURS des résultats de même nature. Dans l'ordre universel, les pommiers ne donnent jamais de bananes!

Dans mon livre *Le secret de la prospérité: la spiritualité*, je traite, dès le début, de ce sujet si important que sont les croyances qui façonnent notre vie spirituelle, mentale, émotionnelle et physique. Quatre exercices d'intériorisation soutiennent le lecteur à faire cette démarche essentielle afin de faire ressortir les croyances qui causent les insatisfactions dans sa vie.

Si tu désires approfondir davantage le sujet des valeurs, je te suggère aussi le livre *À la rencontre de soi-même*, de Sidney Simon et ses collaborateurs[22] qui suggèrent quatre-vingt exercices pour mieux se connaître. Il y a de quoi s'amuser... à grandir!

---

22. Sidney Simon et collaborateurs, *À la rencontre de soi-même*, Coll. Actualisation, Montréal, Le Jour, 1972.

S'affirmer avec respect

Quand on s'affirme, on communique franchement; on exprime ses sentiments, ses besoins et ses idées et on fait valoir ses droits, mais sans violer les droits ni ignorer les besoins d'autrui. On est alors authentique, cohérent, ouvert et direct.

Linda Adams

Il y a un préalable à la réalisation de ce bel idéal: comme je le mentionnais dans la section «Prends bien soin de toi», à la page 90, encore faut-il avoir eu le courage de définir nos sentiments, nos besoins, nos idées et nos droits.

En ce qui concerne tes droits, au cas où tu ne te serais pas arrêté à cette question importante, Manuel Smith[23] en énumère quelques-uns dans son livre *When I say No, I Feel Guilty*. En voici une liste non exhaustive:

- «Vous avez le droit de déterminer la pertinence de vos comportements, de vos pensées et de vos émotions, et d'assumer la responsabilité de leur déclenchement aussi bien que de leurs conséquences sur vous-même.
- Vous avez le droit de ne donner aucune raison pour justifier votre conduite.
- Vous avez le droit de juger si vous êtes concerné ou non par les problèmes d'autrui.
- Vous avez le droit de changer d'idée.
- Vous avez le droit de commettre des erreurs et d'en assumer la responsabilité.
- Vous avez le droit de dire «Je ne sais pas».
- Vous avez le droit d'être illogique lorsque vous prenez des décisions.
- Vous avez le droit de dire «Je ne comprends pas».
- Vous avez le droit de dire «Je m'en balance!»

---

23. Manuel Smith, *When I Say No, I Feel Guilty*, New York, Bantam Books, 1987.

À NOTER: Les droits comportent toujours des responsabilités correspondantes.

L'affirmation de ses droits et de ses besoins est basée sur l'estime de soi et la valorisation personnelle; c'est aussi l'un des moyens les plus efficaces de nous affranchir de la honte, de la culpabilité et du manque de confiance en soi qui nous paralysent.

Nous ne sommes plus des enfants impuissants à la merci des personnes en autorité; en tant qu'adultes, *nous avons le pouvoir de désapprendre* certains de nos comportements malsains comme la résignation, la soumission et l'attaque. Beaucoup de gens croient et disent qu'ils s'affirment dans leurs relations, alors qu'en réalité, ils écrasent les autres régulièrement de leurs attaques plus ou moins violentes et subtiles.

Avant d'entreprendre de t'affirmer, il est important de toujours te centrer, c'est-à-dire de prendre un temps de réflexion si tu veux obtenir des résultats satisfaisants pour toi et l'autre. Avec les années de pratique, je me suis trouvé un moyen superefficace: je me pose les questions suivantes.

- Quelle est ma réelle intention concernant cette affaire?
- Qu'est-ce que je veux vraiment?
- Quels sont les résultats que je veux obtenir maintenant et pour l'avenir?

Un ami, Alain Fortin, a composé cette chanson que j'aime bien et dont le refrain est:

On ne m'a jamais montré à vivre et à m'exprimer. On m'a juste montré un peu à lire et à calculer.

S'affirmer est un art qui s'apprend, et il est absolument essentiel à l'estime de soi. Enfants, on nous a appris à nous taire et à tout refouler autant que possible afin de ne pas ébranler les certitudes ou de ne pas déranger les humeurs de nos autorités. En tant qu'adultes responsables, c'est maintenant notre devoir de faire les démarches nécessaires afin d'apprendre à affirmer nos droits tout en respectant ceux des autres. Un autre apprentissage qui n'est pas moins important est de pratiquer l'intégrité et l'authenticité en disant de vrais OUI et de vrais NON aux demandes de notre entourage. Le «guidounage» ne sert personne! (Ma définition de «guidounage»: faire semblant qu'on aime quelque chose pour en marchander une autre.)

Nous affirmer d'une manière authentique, responsable et respectueuse nous donnera confiance en nous permettant de délimiter par le fait même de nouvelles frontières physiques, émotionnelles et intellectuelles. N'oublions pas, cependant, que personne n'est obligé de répondre à nos besoins; tout comme nous, l'autre est libre de dire de vrais OUI et de vrais NON aux demandes exprimées par autrui!

Il existe de nombreux livres sur l'affirmation de soi et tu as un grand éventail de choix pour faire une démarche éclairée. Personnellement, j'ai longtemps enseigné les notions et les moyens présentés dans le livre *Communication efficace*[24]. Cela m'a appris à verbaliser ce que je voulais d'une manière responsable tout en acceptant à l'avance les réactions de l'autre. Cette dernière partie est encore la plus difficile.

En pratiquant les techniques suggérées, j'ai aussi évité bien des problèmes dans mes relations et surtout dans l'éducation de mes enfants. Comme livre pratique sur le sujet, j'ai beaucoup apprécié, entre autres, *Si je m'écoutais, je m'entendrais*[25].

24. Linda Adams, *Communication efficace*, Coll. Actualisation, Montréal, Le Jour, 1993.
25. Jacques Salomé et Sylvie Galland, *Si je m'écoutais, je m'entendrais*, Montréal, Éditions de l'Homme, 1990.

Choisir minutieusement nos relations

Vous n'avez pas besoin d'être aimé, pas au prix de vous-même. L'unique relation qui soit vraiment centrale et cruciale dans une vie, c'est la relation avec soi-même.

Jo Courdet

Nous avons vu précédemment que pour reconstruire l'estime de soi, nous devons développer une relation aimante avec nous-même en nous servant d'abord de la présence aimante de notre Dieu intérieur. Considérant notre besoin inné de vivre en société, les relations que nous créons et entretenons sont un facteur très important pour la validation de qui nous sommes comme individus.

On dit souvent: «Qui se ressemble s'assemble!» Et c'est en raison de la loi de l'attraction universelle que le semblable attire le semblable. Nous sommes comme des aimants: par les vibrations et les énergies que nous émettons, nous attirons à nous des personnes avec qui nous avons des affinités énergétiques. Pas toujours évident et parfois même très inquiétant! Passe encore tant qu'il est question de bonnes personnes aimantes, dévouées et intelligentes. Cela se complique lorsque j'ai affaire à des personnes mesquines, égoïstes, snobs, méchantes ou tout simplement inconscientes. J'ai appris que lorsque quelque chose me dérange chez une personne, c'est que j'ai cette même caractéristique que je n'accepte pas en moi. Les Anglais disent: «*If you spot it, you've got it!*» Ça, c'est de la croissance accélérée et à bon marché! Non, ce n'est pas facile, mais très efficace pour quiconque a un désir ardent d'éliminer ses fantasmes prétentieux afin de se connaître vraiment.

L'amour ou la peur!

À part la survie, la principale préoccupation de tous les êtres humains est d'aimer et d'être aimé. Pourtant, beaucoup d'entre nous ont de la difficulté à exprimer et à expérimenter ce don si précieux qu'est l'amour, à cause surtout des expériences blessantes de honte et de culpabilité non résolues de leur passé.

Selon la théraphie spirituelle «The Course in Miracles[26]», simplifiée par le docteur Gerald Jampolsky, il existe deux sentiments qui nous motivent à créer (ou à ne pas créer) des relations: ce sont l'amour et la peur; lorsque nous expérimentons l'un, nous excluons l'autre automatiquement. Il nous est impossible d'être assis sur deux chaises en même temps!

Par exemple, si tu expérimentes un bout de vie où tu te sens seul, si tu manques d'attention, d'affection, de sexe ou si tu as besoin de quelqu'un pour partager tes dépenses, tu es en grand danger d'établir une relation de besoin qui est presque toujours basée sur la peur et vouée éventuellement à l'échec. Comme je l'ai déjà mentionné, quand nous avons besoin, nous perdons notre liberté et nous risquons de glisser inconsciemment dans le «guidounage». «*Malheur à celui qui dépend de l'homme*», nous répète souvent la Bible. Aller vers les autres par amour et non par besoin est le grand secret pour établir des relations satisfaisantes et créatrices de joie de vivre.

Dernièrement, alors que je bouquinais, j'ai été étrangement attirée par un ouvrage dont l'auteur m'était absolument inconnu. Si tu désires élargir tes horizons spirituels et humains et brasser tes valeurs, ce livre, intitulé *Conversations avec Dieu* (tomes 1 et 2)[27], est pour toi. Voici ce que l'auteur, Neale Donald Walsch, dit des relations basées sur les besoins:

Avoir besoin de quelqu'un est la façon la plus rapide de tuer une relation. Aimez plutôt sentir qu'on n'a pas besoin de vous, car le plus grand cadeau que vous puissiez donner à quelqu'un est la force et le pouvoir de ne pas avoir besoin de vous, de n'avoir besoin de vous en aucune circonstance!

26. The Course in Miracles, Foundations for Inner Peace, Californie, 1975.
27. Neale Donald Walsch, *Conversations avec Dieu*, Outremont, Éditions Ariane, 1997.

C'est dans nos relations amoureuses et nos rapports parents-enfants que nous sommes les plus vunérables face aux relations de besoins. Bien sûr, il y a une période de dépendance légitime pour le jeune enfant vis-à-vis de ses parents mais, à mon avis, on devrait enseigner le plus tôt possible à nos enfants les bienfaits de l'autonomie personnelle. Ils pourraient ainsi, très tôt dans leur jeune vie, se créer des relations créatrices de joie de vivre et non de dépendance affective destructrice.

Nous sommes très nombreux à être tombés dans le panneau manipulateur des «J'ai besoin de toi!», «Sans toi, je ne suis rien!», «Je suis la moitié de moi-même quand tu n'es pas là!». Jacques Brel chantait même: *«Ne me quitte pas [...] je me coucherai là [...] je serai l'ombre de ta main, l'ombre de ton chien [...]»* En plus, comble de l'inconscience, tout en pleurant, nous qualifions de belle et touchante cette «poésie de masochistes»! Brel ou pas, je crois que ce sont nos âmes qui pleurent sur notre inconscience!

La base d'une relation saine étant l'estime de soi, il ne faut pas croire que «tomber en amour» arrangera les choses à long terme. Bien sûr, pour quelque temps, tu pourras dire: «Quand je suis avec toi, je m'aime!» Tu auras alors l'illusion que cette personne aura rehaussé et guéri la piètre estime que tu avais pour toi-même... avant! J'ai bien dit *l'illusion*; il ne faudrait pas que l'être aimé aille trop loin, trop longtemps ou encore qu'il te quitte: il en serait alors fait de l'amour que tu te portes. Quant à la qualité de ton amour pour cette personne, permets-moi d'en douter: on ne peut donner que ce qu'on a, c'est bien connu. De là l'importance de notre travail d'amour sur nous-même si nous voulons faire la divine expérience d'aimer vraiment.

Relations: soutien ou sabotage?

Pour rebâtir et entretenir l'estime de toi-même, il est essentiel que tu apprennes à faire la différence entre une relation saine et une relation toxique. Tu es dans une relation «soutenante» lorsque:

- tu te sens respecté comme personne;
- tu te sens admiré pour ce que tu es;
- l'autre te soutient dans ce que tu veux être, faire et avoir;
- l'autre veut évoluer avec toi dans une relation gagnant-gagnant.

Lorsque ces principaux critères ne sont pas présents dans tes expériences avec les gens que tu fréquentes, c'est que tu leur donnes TON pouvoir; tu leur concèdes alors le droit de te saboter dans ce que tu es et ce que tu veux devenir.

Lorsque tu tolères qu'on te «mal-traite», que ce soit par inconscience ou par manque de courage à t'affirmer en tant que personne de valeur, tu dois prendre la responsabilité des résultats qui s'ensuivent: frustrations, colères souvent refoulées, coups (mental et physique), échecs de toutes sortes, maladies, etc.

Choisir de te créer des relations qui te soutiennent et qui sont créatrices de joie de vivre fait partie de tes droits et de tes responsabilités en tant que personne. Ça non plus, personne ne peut le faire pour toi.

Tout le monde a une raison de surgir dans notre vie et a un message pour nous[28]. James Redfield

J'ajoute: mais nous n'avons pas nécessairement à les fréquenter, à aller vivre ou coucher avec eux! Dieu merci! Nous avons tous eu dans nos vies des relations bienfaisantes qui ont ajouté des joies spéciales à notre collection de personnes aimantes. Nous avons tous eu aussi de ces relations difficiles qui nous ont blessés profondément. Ce qui cause souvent de la confusion, c'est que la même personne adopte tantôt une attitude de sabotage, tantôt une attitude de soutien. C'est dans des situations

---

28. James Redfield, *La prophétie des Andes*, Coll. Best-Sellers, Paris, Robert Laffont, 1994.

comme celles-là qu'il est divin d'avoir une relation avec un Être supérieur comme dépanneur éclairé.

Tout au long de ma vie, j'ai eu le privilège d'être beaucoup aimée, mais j'ai aussi eu, comme tous les humains, mon lot de relations conflictuelles. J'appelle maintenant «maîtres-enseignants» ces partenaires de mes expériences difficiles. Je dois avouer que, par le passé, j'avais des noms beaucoup moins élégants et moins spirituels pour les nommer! Avec les années, à force de vouloir apprendre, à force de décortiquer leurs messages divins, à force de pardonner, d'évoluer et de devenir plus consciente de la responsabilité de mes créations, j'ai pris conscience que ces gens avaient énormément contribué à me réveiller et à me sortir du déni face à moi-même. Je peux aujourd'hui, sans rancune, leur être reconnaissante de leur contribution à mon évolution personnelle. Je reconnais que j'ai aussi travaillé avec des maîtres-enseignants plus faciles qui m'ont beaucoup aimée et aidée à ce que j'apprenne mes leçons de vie dans la joie et l'humour. Encore une fois: Dieu merci!

Dans les relations comme dans tous les autres domaines de nos vies, nous avons à nous servir de notre faculté de sagesse pour choisir des expériences qui, tout en nous faisant évoluer, contribuent à l'harmonie dans notre vie. Nous avons établi que notre première responsabilité était de prendre bien soin de nous. Pour ce faire, il est important de savoir qu'il existe certains types de personnes que nous devons éviter à tout prix; ce sont ces gens qui n'ont aucune intention d'apprendre quoi que ce soit des autres («Je suis fait comme ça et je ne changerai pas!») et qui sont engagés à être et à demeurer:

- des violents (verbalement et physiquement);
- des parasites-victimes-vampires qui drainent tes énergies vitales avec leurs sempiternels drames;
- des éteignoirs-pompiers qui ne peuvent tolérer l'enthousiasme et la joie de vivre des autres;

- des manipulateurs[29] sournois qui sont prêts à tout pour obtenir ce qu'ils veulent;
- des dominateurs arrogants qui n'hésiteront pas à t'écraser pour se revaloriser et réussir;
- des invalidants qui se grandissent en diminuant les autres;
- des critiqueurs dépressifs et déprimants qui voient toujours la «petite bête noire» et ce qui ne fonctionne pas;
- des prétentieux (les *smarts*) qui savent tout et qui veulent toujours prouver qu'ils ont raison et que tu as tort;
- des égoïstes chroniques qui se prennent pour le nombril du monde et ne sont attentifs qu'à leurs propres besoins;
- et les autres saboteurs de vie que je n'ai pas rencontrés!

Maintenant que tu es plus conscient, tu sauras attirer et découvrir ces belles personnes aidantes engagées à contribuer à la Vie. Celles qui:

- veulent contribuer à ta vie en te donnant du temps, de l'attention et de l'amour **sans attente**;
- sont capables de décrocher de «leurs petites-grosses-affaires» et de t'écouter avec compassion quand tu en as besoin;
- sont autonomes et te fréquentent parce qu'elles t'apprécient pour ce que tu es et non pour ce qu'elles peuvent retirer de toi;
- sont capables de reconnaître tes talents, tes qualités et tout ce que tu es sans se sentir menacées;
- sont authentiques et franches: tu peux compter sur elles pour toujours savoir la vérité, même lorsque c'est inconfortable et risqué;
- ont choisi d'expérimenter leurs relations dans un monde de gagnant-gagnant, et qui n'accepteront jamais de gagner à tes dépens;

---

29. Isabelle Nazare-Aga, *Les manipulateurs sont parmi nous. Qui sont-ils?* Paris, ADP, 1997.

- sont capables d'écouter tes points de vue sans t'invalider et de partager les leurs d'une manière responsable et respectueuse;
- sont engagées à évoluer avec toi parce qu'elles t'aiment et qu'elles veulent contribuer à la qualité de ta vie;
- ne comptent pas sur toi pour que tu prennes la responsabilité de la qualité de leur vie;
- te reconnaissent pour tes accomplissements et se réjouissent avec toi de tes joies, de tes enthousiasmes et de tes succès.

On peut se demander si c'est possible d'expérimenter une relation qui serait aussi exigeante et, en même temps, aussi exaltante. Si c'est vraiment ce que notre cœur désire, il nous faut d'abord consentir à vouloir ÊTRE ce genre de personne aimante afin de partir le bal paradisiaque! Par la suite, de par la loi de l'attraction, nous attirerons notre semblable dans l'ordre divin. C'est une loi universelle immuable.

Et, c'est de cette qualité de relation dont tu as absolument besoin pour apprendre à aimer inconditionnellement et retrouver l'estime que tu avais pour toi-même alors que tu étais bébé. Je le répète: tu as absolument besoin d'une relation significative où tu peux t'exercer à être entièrement toi-même avec confiance et sans aucune crainte d'être invalidé ou condamné pour ce que tu es. Une façon sûre d'attirer à toi ce genre d'expérience est de commencer par ÊTRE ce genre de personne significative pour quelqu'un.

Credo pour ma relation avec toi

Durant les années 70, j'ai animé les ateliers «Parents Efficaces» du docteur Thomas Gordon; pendant cette période et même plus longtemps, le texte qui suit était affiché sur le réfrigérateur comme modèle inspirant de relation pour les membres de ma famille et moi-même.

TOI ET MOI vivons une relation qui m'est précieuse et que je veux sauvegarder.

Chacun de nous demeure cependant une personne distincte ayant ses propres besoins et le droit à les satisfaire.

Je veux respecter ton droit de choisir tes propres croyances et d'établir tes propres valeurs, même si elles diffèrent des miennes.

Lorsque ma façon d'agir t'empêchera de satisfaire tes besoins, je t'encourage à me dire ouvertement et sincèrement ce que tu ressens: alors, je t'écouterai et j'essaierai de modifier mon comportement.

Lorsque ta façon d'agir m'empêchera de satisfaire mes besoins, je t'exprimerai ouvertement et sincèrement mes sentiments, car j'ai confiance que tu respectes suffisamment mes besoins pour m'écouter et essayer de modifier ton comportement.

Dans les situations où ni toi ni moi ne pourrons changer notre façon d'agir pour permettre à l'autre de satisfaire ses besoins, engageons-nous à résoudre ces inévitables conflits sans recourir au pouvoir pour gagner aux dépens de l'autre. Je respecte tes besoins et je veux aussi respecter les miens. Appliquons-nous à trouver des solutions acceptables pour chacun de nous: tu peux satisfaire tes besoins et moi aussi. Personne ne perd; nous y gagnons tous les deux.

Ainsi, nous continuons à nous épanouir l'un et l'autre car nous en retirons, toi et moi, satisfaction. Chacun de nous peut devenir ce qu'il est capable d'être.
Nous poursuivons notre relation dans le respect et l'amour mutuel, dans l'amitié et la paix.

Nos relations présentes sont des miroirs fidèles de ce que nous sommes maintenant. Ce sont, par conséquent, de magnifiques cadeaux du Ciel pour notre évolution même si, parfois, nos expériences difficiles nous font croire que nous sommes en enfer! Heureusement, nous savons maintenant que, de par notre nature divine, nous pouvons réclamer la sagesse d'en connaître la différence, comme le dit si bien la prière que récitent les Alcooliques anonymes.

Action!
Que sert la foi sans les œuvres!

Sur le bureau de travail de mon père était écrit en grosses lettres: «*Celui qui ne risque rien ne fait pas d'erreur mais toute sa vie en est une!*» Je ne suis pas certaine aujourd'hui si une vie peut être une erreur, mais il y a quand même une part de vérité dans ce dicton.

C'est en passant à l'action que nous pouvons vérifier la véracité de nos principes, ce qui nous donne la possibilité de changer, de modifier ou de carrément éliminer certaines croyances que nous entretenons comme étant vraies et qui ne nous servent plus.

L'action reflète la nature de nos énergies et rend visibles nos intentions et nos objectifs de vie. C'est en observant les résultats concrets des gestes que nous avons faits que nous pouvons constater si nous manifestons les désirs de notre cœur, ou une occasion nous est alors donnée de réajuster notre tir en vérifiant nos objectifs de départ. Notre nature divine nous fournit toujours le vent, mais c'est nous qui devons déployer les voiles!

Comme dernier moyen pour rehausser l'estime que tu as pour toi-même, je te suggère quelques gestes concrets qui te permettront de passer à l'action et, ainsi, de t'expérimenter comme un être puissant et créateur.

Étudie et pratique l'amour

Nous sommes, pour la plupart, très ignorants de ce qu'est l'amour véritable, puisque peu d'entre nous l'ont vécu. Comme tout part d'une idée, il nous faut d'abord prendre connaissance de cette idée divine qu'est l'amour avant de pouvoir l'appliquer dans notre vie. Pour arriver à maîtriser cet art d'aimer[30], nous

---

30. Erich Fromm, *L'art d'aimer*, Montréal, Sélect, 1980.

devons d'abord éliminer nos peurs et prendre la responsabilité de nous mettre en situation afin de faire l'expérience de nos compétences en la matière.

Eh oui! j'ai bien écrit compétence. En général, on n'utilise pas les mots «maîtrise» ou «compétence» quand il est question d'amour; on croit qu'on peut posséder ces importantes caractéristiques uniquement dans le travail et que, en ce qui a trait à l'amour, nous devrions «marcher au pif».

Voici ce que dit *Le Petit Robert* de quelqu'un de compétent: «Qui est capable de bien juger d'une chose en vertu de sa connaissance approfondie en la matière.» De là, il est facile de comprendre que pour maîtriser l'art d'aimer, nous devons d'abord connaître ce que c'est. Nous devons approfondir le sujet en le mettant en pratique dans nos expériences de vie.

À la fin de ce livre, je mentionne plusieurs auteurs qui peuvent t'inspirer à apprendre et à grandir dans l'amour.

Découvre et utilise tes talents

Il est souvent répété que nous employons à peine 4 % de notre potentiel. Imagine un peu tout ce que peuvent contenir ces 96 % pour la recherche et la découverte de tes nombreux talents!

Si tu as fait le premier exercice d'intériorisation concernant ta «mission héroïque», tu sais maintenant que le Créateur t'a doté de tous les talents nécessaires pour faire de ta vie un chef-d'œuvre de créativité. C'est en accomplissant ce travail unique qui t'a été conféré que tu expérimenteras une plus haute estime de toi-même parce que tu auras l'expérience d'évoluer, de contribuer à l'humanité et de manifester concrètement ta raison d'être sur cette planète.

Quelqu'un a dit: «Nul ne reçoit que pour donner.» Consentir à servir l'humanité est une façon très efficace de prendre bien soin de soi parce qu'intrinsèquement, nous avons été créés pour collaborer à l'ensemble, pour agir en cocréateurs. Participer au lieu de seulement observer est aussi une grande source de satisfaction personnelle et, conséquemment, d'estime de soi. Service n'est pas synonyme de servitude; le premier est un choix très élevé spirituellement et le second, un esclavage. À ne pas confondre! Le premier est le produit de l'amour, alors que le second est la conséquence de la peur. Dans le doute, observe comment tu te sens et les résultats de tes actes. Jésus a dit: «*Vous jugerez un arbre d'après ses fruits.*»

Manifeste qui tu es vraiment

Après avoir découvert ta vraie nature d'être spirituel, tes qualités, tes caractéristiques et tes talents humains, il te reste maintenant à les manifester dans l'Univers.

Dieu ne peut pas faire plus *pour* toi qu'il ne peut faire *par* toi. Le Créateur ne t'enverra pas, par exemple, une pluie de dollars dans ta cour! N'oublie pas: tu es un cocréateur et tu dois participer en manifestant concrètement tes intentions dans la matière. C'est ça, le contrat de base.

Une façon très efficace d'obtenir la satisfaction des désirs profonds de ton cœur est d'apprendre à te créer des projets à la hauteur de qui tu es vraiment[31]. Bien sûr, tu auras à laisser aller ta peur de l'échec, mais souviens-toi que, la plupart du temps, c'est la réussite qui nous effraie le plus! Par exemple, nous savons que les millionnaires ont d'énormes responsabilités, ne serait-ce que de gérer tout cet argent; c'est pourquoi la plupart d'entre nous choisissent (inconsciemment) le pseudo-confort de la pénurie. Pour quelle autre raison la grande majorité des millionnaires spontanés des jeux de hasard reviendraient-ils à leurs conditions antérieures en deçà d'un an?

Sauf les gens d'affaires, très peu de personnes savent se fixer des buts; elles se laissent entraîner à la va-comme-je-te-

---

31. Jack E. Addington, *Comment se fixer des buts et les atteindre*, Beloeil, Un Monde Différent ltée, 1979.

pousse dans les circonstances de leur vie, sans jamais trouver ce qu'elles désirent vraiment. Il n'est pas surprenant que tant de personnes fassent un travail qu'elles détestent et qu'elles tolèrent cette situation parce qu'elles doivent gagner leur vie. Nous sommes toujours plus efficaces et plus «rentables» dans une activité que nous aimons; c'est un principe de prospérité bien connu: jamais l'argent ne devrait être notre motivation principale à faire quoi que ce soit. Sonaya Roman a fait un travail magnifique sur le sujet et je te recommande fortement son livre *Créer l'abondance*[32].

En terminant, j'ai une divine question qui, sans aucun doute, te soutiendra efficacement à manifester la splendeur de ta vraie nature. Pour être bien certain de ton intention, avant d'entreprendre quoi que ce soit, au lieu de te demander comme nous le faisons souvent:

**«Qu'est-ce que je peux en retirer?» (recevoir),
demande-toi:
«COMMENT PUIS-JE CONTRIBUER?» (donner)**

C'est une autre manière d'appliquer concrètement une loi importante de l'Univers, qui stipule qu'il nous faut donner avant de recevoir. Nos ancêtres avaient bien saisi ce principe divin en observant que pour recevoir de cet outil qu'était la pompe à eau, ils devaient d'abord lui en donner pour que le précieux liquide coule à flots. Le même concept, dit autrement, s'applique à la nourriture: il faut semer avant de récolter. L'Univers est si précis dans Ses enseignements!

Entretiens l'estime de toi-même

Tout sur la terre (et probablement aussi au ciel...) a besoin d'entretien. Que ce soit nos relations, nos affaires commerciales, nos possessions matérielles, notre corps, notre vie spirituelle, tout a besoin d'être nourri, entretenu, et l'estime de soi ne fait pas

---

32. Sonaya Roman et Duane Packer, *Créer l'abondance: Manuel de prospérité*, Genève, Éditions Soleil, 1990.

exception à la règle. Quand un domaine de nos vies est négligé, il s'affaiblit et, éventuellement, il dépérit. C'est donc ta responsabilité de chercher et de découvrir ce qui rehausse l'estime que tu as de toi-même. Personne ne peut le faire pour toi.

Depuis plus de vingt ans, je pratique un moyen très efficace d'entretenir l'amour que je me porte. Le grand psychologue humaniste Abraham Maslow a découvert, après une longue recherche auprès de personnes ayant réussi leur vie, qu'un des besoins fondamentaux de l'être humain est d'être reconnu et validé en tant qu'individu. Forte de ce concept inspirant, je n'attends plus maintenant après la reconnaissance de mon entourage pour expérimenter que je suis une personne de valeur. Cela ne m'empêche toutefois pas d'apprécier un beau compliment fait avec sincérité!

Je me suis donc trouvé un truc qui est très efficace pour moi et qui m'empêche de glisser sur la voie de l'invalidation ou du doute. À la fin de chaque jour, j'énumère par écrit dix choses dont je suis fière et pour lesquelles je veux me féliciter. Rien n'est insignifiant quoi qu'en dise mon ego! Si tu pratiques cette simple discipline quotidienne, tu seras étonné des résultats inspirants que tu obtiendras après peu de temps.

Organise-toi pour rire au moins une fois par jour

Le sens de l'humour est un cadeau de Dieu et nous en avons tous hérité: il suffit tout simplement d'arrêter de nous prendre au sérieux et de consentir à rire de nos réactions à ce que la Vie nous offre comme moyens d'évolution pour nos âmes.

Ce qui est, EST! L'acceptation de ce concept est le meilleur moyen pour être en santé sur les plans spirituel, mental, émotionnel et physique. Des recherches ont démontré que des personnes en phase terminale se sont guéries de leurs maladies en visionnant des bandes dessinées et des films drôles. Pourquoi ne pas accepter ce cadeau gratuit qu'est le rire pour alléger notre voyage terrestre? C'est tellement plus facile! Et puis, nous apprenons tellement plus vite dans la joie de vivre!

Reconnaissance: inventaire du positif

Précédemment, tu es devenu un peu plus conscient de ce qui te rongeait de l'intérieur et tu t'es pardonné tes manques d'amour envers toi-même. Je te propose maintenant un exercice de reconnaissance très stimulant. Ce travail te permettra de devenir plus conscient des aspects positifs de tes expériences vécues parce que tu auras fait l'inventaire de tout ce dont tu es fier depuis le début de ta vie. Tu constateras sans aucun doute qu'il n'y a pas vraiment de facteurs négatifs dans nos vies puisqu'en bout de ligne, tout contribue à nous faire évoluer vers une meilleure connaissance de nous-même et un mieux-être.

Comme tu as fait l'inventaire de ton sac à déchets, alors pourquoi ne pas découvrir maintenant ce que contient ton garde-manger (ce qui te soutient)? Je te promets: tu auras de bien belles surprises et de quoi rehausser l'estime que tu as pour toi-même. Je te suggère de ne rien omettre: n'aie pas honte, mets-en plus que moins... Tu en as besoin!

Exercice d'intériorisation N° 10
Qui je suis et mes accomplissements

Instructions

En te référant aux différents domaines de ta vie tels qu'ils sont énumérés à l'exercice n° 7 à la page 75, dresse une liste de tous tes accomplissements sur les plans de l'ÊTRE (ton identité), du FAIRE (tes comportements, tes actions) et de l'AVOIR (tes résultats concrets, tes possessions, etc.).

Afin de nourrir ton subconscient de fierté, de reconnaître tes nombreuses réalisations et de rehausser l'estime que tu as pour toi-même, écris, par exemple, avant chaque élément, «je me félicite de...», «je suis fier de...» ou toute autre formule qui te convient.

PASSÉ	PRÉSENT
«Je suis fier d'avoir été...»	«Je suis fier d'être...»
«Je suis fier d'avoir fait...»	«Je suis fier de faire...»
«Je suis fier d'avoir eu...»	«Je suis fier d'avoir...»

P.-S. Le seul fait d'être encore en vie est un grand accomplissement! Plusieurs n'ont pas survécu.

Avoir confiance en notre nature divine

> *L'homme ne peut réussir à soulager les souffrances seulement à la lumière de ce qu'il pense de lui-même, mais il doit tenir compte des révélations d'une sagesse plus grande que la sienne.*
>
> Carl Jung

> *Sans l'amour de soi et le sens de l'humour, la vie spirituelle serait aride et très ennuyante.*
>
> V. L.

Après t'être félicité pour tous les accomplissements de ta vie, l'estime que tu as pour toi-même a sans doute monté d'au moins un cran. Il ne faudrait pas croire cependant que ton travail personnel concernant l'estime de soi est complet: c'est le travail d'une vie et tant que nous serons sur cette terre, il ne sera pas terminé.

Réintégrer nos ombres, nos faiblesses, nos torts et reconnaître nos talents inutilisés, nos qualités divines ignorées ne sont pas une mince affaire! Après avoir reconnu que nous avons besoin d'aide pour relever ce défi de taille, nous pouvons toujours consulter un «spécialiste» en la matière pour faire un bout de chemin. C'est sans doute appréciable, mais cette personne-ressource, aussi compétente soit-elle, ne pourra jamais faire ce travail pour nous.

J'ai moi-même été en thérapie à quelques-unes des étapes de ma vie, alors que je me sentais confuse face à des événements difficiles de mon existence. Ces démarches, la plupart du temps très éclairantes, rassurantes mais souvent confrontantes, m'ont beaucoup aidée à ne pas tourner en rond inutilement. Elles m'ont aussi facilité l'existence en me donnant un nouvel éclairage quant à mes façons de composer avec ce qu'est la Vie.

La thérapie est un excellent moyen pour découvrir où nous en sommes exactement et constitue souvent un bon coup de pouce pour nous encourager à continuer notre cheminement. Cependant, dans ce domaine comme dans d'autres, il faut être prudent et choisir une personne mûre et compétente pour nous accompagner dans notre voie. Il faut aussi faire attention à la dépendance; nous en remettre totalement à un être humain est une façon bien limitée de faire ce genre de travail intérieur. En effet, le thérapeute ne peut jamais nous amener plus loin qu'il n'est rendu. Il ne peut pas non plus nous guider sur des chemins qu'il n'a pas parcourus lui-même; c'est un critère de succès très exigeant.

Pour en arriver à rejoindre notre but de vie qui est d'apprendre à aimer inconditionnellement, nous devons consentir à faire ce travail de réintégration de nos ombres qui est une partie essentielle de la vie spirituelle. Que nous en soyons conscients ou pas, nous sommes tous en cheminement spirituel malgré les apparences trompeuses de nos vies souvent trépidantes et axées sur le matérialisme.

Pourquoi est-il si important de nous préoccuper de notre vie spirituelle? Il faudrait d'abord bien spécifier que je ne parle pas ici de religion mais bien de vie intérieure, de la vie de l'esprit. La spiritualité n'est pas la religion; cette dernière est une organisation humaine qui est censée soutenir, alimenter notre spiritualité et élever notre esprit, ce qui n'est pas toujours le cas. Inutile de s'étendre là-dessus, tout le monde est au courant des abus dans ce domaine comme dans les autres.

Nous mourons de faim spirituellement

Mis à part les anorexiques (qui sont des personnes malades), nous croyons tous qu'il est primordial, normal et sain d'investir beaucoup de temps, d'énergie et d'argent pour nous nourrir et entretenir notre vie humaine. Cependant, lorsqu'il est temps de nous nourrir spirituellement, d'entretenir notre nature divine et de prendre soin de notre âme, nous n'avons pas de temps, d'énergie et encore bien moins d'argent à «mettre là-dessus». Entourés de nos bébelles de consommation pour combler notre vide intérieur, nos vies sont devenues d'un superficiel aberrant, ce qui nous conduit souvent au désespoir parce que nous nous sentons alors abandonnés à notre seule condition humaine. Nous sommes morts de peur parce que nous mourons de faim spirituellement. Collectivement, nous n'avons pas su recourir à notre nature divine, cette superpuissance en nous qui est disponible à tous en tout temps.

Oui, la vie spirituelle est très importante! Oui, prendre soin de notre âme prend du temps, de l'énergie et parfois de l'argent! Oui, la vie spirituelle devrait être notre priorité! Personnellement, au lieu de me prendre pour la présidente-directrice générale de l'Univers et de vouloir sauver le monde, j'ai choisi depuis quelque temps de m'occuper de mon affaire. Mon slogan M.T.T.A. (mêle-toi de tes affaires!) m'a permis de découvrir ce qui est le plus important pour moi, maintenant. Mon intention est toujours de contribuer aux autres, mais si je veux être efficace et faire un bon travail, il est primordial que je commence par prendre bien soin de moi. Un sain égoïsme, quoi! Dans sa sagesse innée, même la plus petite des cellules humaines sait qu'il lui faut d'abord se nourrir si elle veut contribuer efficacement à l'ensemble. J'ai choisi de suivre son exemple et... je me sens beaucoup mieux!

Depuis que ma vie intérieure a la préséance sur toutes mes autres activités, j'ai évité bien des expériences et des détours douloureux parce qu'avant d'agir, de lancer un projet, de m'embarquer dans quelque chose impulsivement, je prends toujours le temps de me référer à ma Source intérieure: elle sait toujours ce qui est le mieux pour moi. Bien sûr, il m'arrive encore de taper du pied comme une enfant gâtée et de faire à ma tête. Bien sûr, je fais encore ce qu'on appelle «des erreurs», mais je les considère maintenant comme des expériences dont j'avais besoin pour apprendre des leçons de vie et pour évoluer sur le chemin de la réalisation de «qui je suis vraiment». J'ai davantage confiance en la Vie et en mes intuitions. Je me sens sereine la plupart du temps et ma vie est de plus en plus harmonieuse. J'ai beaucoup misé sur ma vie intérieure, mais faire de la spiritualité ma priorité est assurément le plus bel investissement de toute ma vie!

Le Soi, cette partie divine en nous

La psychologie et la médecine admettent de plus en plus l'existence d'une composante spirituelle de l'être humain qui est à l'image de Dieu. Carl Jung l'appelle le Soi; d'autres le nomment Amour, Moi profond, Sage, Énergie créatrice, Univers, Guide intérieur, Dieu Père/Mère, etc. Mais qu'importe le nom qu'on lui donne, il est toujours question de cette partie divine en nous et qui ne nous fait jamais défaut.

Avoir une vie intérieure ou spirituelle, c'est être en contact conscient avec le Soi et expérimenter sa présence rassurante qui est amour et qui nous harmonise en vertu de Sa puissance créatrice et curative. Avoir une vie spirituelle, c'est consentir à lâcher le contrôle, à laisser aller nos peurs, à faire confiance en un Dieu Père/Mère aimant qui prend bien soin de nous parce que nous sommes Ses enfants bien-aimés.

Une expression à la mode nous parle d'être «branchés»; j'ai moi-même choisi le «Gros Câble», celui qui me relie directement à la Source de Vie, qui est toujours sécurisante pour ma condition humaine et qui, en plus, n'augmente pas les coûts mensuels de ma vie terrestre! Pas besoin de payer des frais d'abonnement: c'est absolument gratuit. Même les pannes d'électricité généralisées ne coupent pas le courant! Le service est garanti en tout temps.

Jean Monbourquette écrit:

Seuls ceux qui considèrent leur Soi comme une réalité pleine de tendresse et de compassion pourront accueillir adéquatement le côté sombre de leur personne.

Es-tu de ceux qui croient encore à un Être supérieur vengeur, mesquin, calculateur, cruel, invalidant, radoteur et qui souffre d'instabilité affective? En un mot, crois-tu en un Dieu fait à l'image et à la ressemblance des humains? Si oui, il est grand temps que tu t'en débarrasses et que tu abandonnes pour toujours cette croyance en cet être fictif qui ne t'aime pas et qui te garde dans la peur. Choisis-toi un Dieu-Parent qui t'aime inconditionnellement, qui t'aide à toujours t'aimer et qui te protège en tout temps.

Notre Créateur ne nous aime pas plus quand nous sommes gentils que quand nous sommes méchants. Comme Il est Amour, Il ne peut faire autrement qu'aimer inconditionnellement parce que c'est Sa nature. C'est surtout lorsque tu ne t'aimes pas et que tu es souffrant que tu as besoin d'amour. Sache qu'il y a Quelqu'un/Quelqu'une qui est constamment disponible à t'écouter et à t'aider à te guérir de tes blessures.

Dieu ne fait jamais de reproches pas plus qu'un bon parent ne ferait des remontrances à un bébé qui aurait fait ses besoins dans sa couche! Il est tout à fait humain de «faire dans notre couche», car nous n'agissons pas toujours en enfants de Dieu illuminés, c'est bien connu. Quelle belle occasion pour nous alors de faire un acte d'humilité, de reconnaître nos limites humaines et, conséquemment, notre besoin d'aide!

Dieu sera pour toi exactement ce que tu as choisi de croire qu'Il/Elle est. Mais... ne me crois pas, vérifie cela en l'expérimentant; c'est la seule façon pour toi de connaître ta vérité.

Avant de nous lancer dans le grand projet d'aimer tout le monde inconditionnellement, nous devons d'abord savoir et expérimenter que nous sommes amour (faits à l'image de Dieu) et que nous sommes aimés quoi qu'il arrive.

Nous savons maintenant que pour faire notre voyage intérieur et accepter nos découvertes, nous avons besoin de soutien. Nous avons aussi à prendre l'entière responsabilité de qui nous sommes vraiment: des êtres spirituels de nature divine et non des «deux de pique» imbéciles et impuissants! Nous pouvons faire entièrement confiance à la grande puissance de notre nature divine branchée directement à la Source... pour autant que nous acceptions de nous brancher à ce courant divinement organisé de l'Univers. Nous sommes les seules créatures sur la terre qui ont hérité du libre arbitre. De fait, Dieu ne force jamais notre porte: la poignée est de notre côté!

Comme je le rappelle dans mon dernier livre, *Le secret de la prospérité: la spiritualité*, nous sommes les enfants bien-aimés de notre Dieu Père/Mère. Si nous désirons expérimenter la Vie d'une manière prospère, et non comme des mendiants, nous devons réclamer et utiliser l'héritage qui nous revient de droit divin. Cet héritage comprend les douze puissances de notre nature divine: la Foi, l'Imagination, l'Intuition, la Volonté, l'Enthousiasme, la Puissance, l'Amour, la Sagesse, la Force, l'Ordre, la Vie et l'Élimination. Connaître et utiliser ces douze facultés de notre esprit nous donnent des moyens efficaces pour créer les désirs de nos cœurs et vivre en harmonie avec l'Univers comme notre Créateur l'a planifié depuis toujours.

Tous, nous avons été créés uniques. Je te rappelle que tu es une expression individualisée du Créateur de l'Univers et que tu es divinement équipé pour bien gérer ta vie terrestre tout en contribuant à l'ensemble de toute la création. Tu as un travail important à faire. FAIS-LE DONC! Le divin en toi te fournira toujours tous les outils dont tu as besoin pour faire un bon et beau travail, et ce, *sans forcer*, dans le courant naturel de l'Univers. Participer à la Vie est un besoin fondamental de l'être humain, et répondre à ce besoin est une condition essentielle à l'estime de soi-même.

Prendre soin de notre âme

Prendre bien soin de notre âme en entretenant une relation assidue avec cette partie divine en nous est essentiel à la connaissance et à l'estime de soi. D'ailleurs, il est absolument impossible d'aimer sans connaître, qu'il s'agisse de soi-même, des autres ou de Dieu.

Alors, quoi faire et comment faire? De nombreux livres sont écrits sur le sujet et beaucoup d'auteurs traitent admirablement de ce domaine si important. Personnellement, j'ai beaucoup évolué spirituellement grâce aux ateliers de croissance personnelle auxquels j'ai participé ou que j'ai animés, et en écrivant des livres sur la spiritualité. Depuis que je suis consciemment en cheminement spirituel, de nombreux auteurs[33] sur le sujet m'ont aussi beaucoup soutenue à m'ouvrir des horizons nouveaux, à élever mon niveau de conscience, à accepter les limites de ma condition humaine, à être de plus en plus en contact avec ma nature divine et, ainsi, à aimer qui je suis et ce que je deviens.

Si nous voulons rester dans la médiocrité et continuer à justifier nos conneries, nous pouvons répéter, comme le font beaucoup de gens: «Après tout, je ne suis qu'un être humain!» Ce qui est tout à fait faux! *Nous sommes des êtres divins qui ont des expériences humaines.* La vérité à notre sujet est que nous sommes tous de même nature que Dieu; c'est un bien bel héritage, mais, en même temps, une très grande responsabilité. La plupart d'entre nous ont beaucoup plus peur de leurs forces que de leurs faiblesses!

Nous savons tous que, pour entretenir et garder vivante une relation humaine qui nous tient à cœur, il nous faut réserver des moments d'intimité avec la personne; il en est de même avec cette partie divine en nous. Apprendre à créer dans notre intérieur un espace de silence nous permettra de nous sentir

---

33. Voir la section «Auteurs inspirants», à la page 137.

aimés, centrés et reliés à notre Moi divin. Cela nous rendra plus forts et harmonisera automatiquement notre vie terrestre.

Il ne faudrait pas croire cependant que la vie spirituelle soit toujours un lit de roses. Comme l'écrit Scott Peck, c'est le chemin le plus étroit et le moins fréquenté, et ce n'est pas pour rien! Ce chemin vers notre Créateur est une route parsemée d'extases, de bas, de hauts, d'embûches, de joies, de découragements, d'enthousiasmes, de ténèbres et de lumières, comme la Vraie Vie, quoi! Non, ce n'est pas un chemin facile, mais, selon mon expérience et celle de bien d'autres avant moi, c'est un chemin encourageant, c'est-à-dire qu'il donne du courage. Avant, j'étais audacieuse; maintenant, je suis courageuse parce que je me sais accompagnée de l'intérieur par Quelqu'un qui m'aime inconditionnellement: jamais plus je ne me dirai seule et abandonnée.

Les exercices d'intériorisation qui suivent te rendront plus conscient des caractéristiques de ton Être supérieur, de la nature de ta relation avec Lui/Elle et de l'importance que tu Lui donnes dans ta vie de tous les jours.

Exercice d'intériorisation N° 11
La nature de mon Être supérieur

Instructions

a) Après avoir médité en silence pendant quelques minutes, définis et qualifie, *sur le plan du senti*, tes expériences de la présence d'un Être supérieur dans ta vie.

Attention de ne pas répéter ce qu'on t'a enseigné qu'Il/Elle est censé être. Par exemple: écrire que ton Dieu est bon, alors que tu crois à l'enfer où tu pourrais brûler pour l'éternité à cause d'une seule faute dite grave.

b) Dresse une liste complète des caractéristiques de ton Dieu et explique aussi comment tu te sens face à Lui/Elle.

Par exemple: Sévère = je me sens jugé, j'ai peur.
Généreux = je me sens reconnaissant, etc.

Note

Rappelle-toi ce que j'ai écrit précédemment: «Ton Dieu sera pour toi exactement ce que tu crois qu'Il/Elle est.» C'est la nature de tes croyances qui colorera toutes tes expériences avec ton créateur.

Exercice d'intériorisation N° 12
Mes valeurs prioritaires

Une façon très efficace de devenir conscient de tes valeurs personnelles est de définir à quels domaines de ta vie tu donnes ton temps et ton argent.

Instructions

Réfère-toi à l'exercice n° 7, à la page 75, qui concerne les différents domaines de ta vie.

a) Pendant une semaine ou plus, précise, par le moyen de ton agenda, le temps que tu donnes aux différents domaines de ta vie. Fais le pourcentage pour chaque domaine.

b) Pendant un mois, calcule l'argent que tu dépenses pour les différents domaines de ta vie. Fais le pourcentage pour chaque domaine.

c) En prenant le symbole d'une tarte, fais les pointes de tarte correspondant aux pourcentages obtenus en a) et en b).

d) Quelles sont tes réactions mentales et émotionnelles relativement à ces découvertes?

e) À la lumière de ce que tu viens de découvrir, qu'est-ce que tu choisis *maintenant*?

Exercice d'intériorisation N° 13
Mes déclarations à l'Univers

Instructions

D'abord par écrit, ensuite à haute voix et bien senti, fais les déclarations suivantes:

- Je suis un être divin qui vit des expériences humaines.

- Je suis de même nature que Dieu.

- Je suis enfant de Dieu: je pense, je parle et j'agis comme tel.

- Je prends l'entière responsabilité de ma nature divine et je fais la volonté de Dieu en manifestant l'abondance dans ma vie.

- Je remercie à l'avance pour tous les dons gratuits de Dieu.

Suggestions

Écris ces déclarations sur de petites cartes que tu garderas avec toi. Fais souvent ces affirmations de vérité. Aussi souvent que possible, verbalise-les en les sentant bien (c'est-à-dire avec tes émotions, ton senti, et non pas avec ta tête) et observe les résultats dans tes expériences de vie.

Conclusion

Le titre de ce livre, *L'essentiel: l'estime de soi*, dit bien ce qu'il veut dire: sans ce préalable, il est bien difficile de répondre aux désirs profonds de notre cœur et de manifester des résultats satisfaisants et durables, qu'il s'agisse d'une relation, d'une affaire, d'une bonne santé ou de tout autre domaine de notre vie.

Apprendre à s'aimer est un processus d'apprentissage et, pour apprivoiser cet art, il existe trois étapes de croissance à franchir: APRÈS, PENDANT et AVANT.

Ayant choisi de devenir plus conscient, c'est APRÈS avoir vécu une expérience frustrante ou douloureuse que tu reconnaîtras ne pas avoir été une personne aimante soit pour toi-même, soit pour les autres.

Après avoir vécu consciemment plusieurs situations de ce genre, tu te rendras compte PENDANT l'expérience ce que tu es en train de répéter qui ne produit pas les résultats désirés.

Fort de ton engagemment à reconstruire l'estime que tu as de toi-même — jour de célébration! —, tu identifie ton intention AVANT d'être en situation et, tout au long de l'expérience, tu es entièrement conscient de ce qui se passe. C'est toi qui mènes ta barque, et non un automatisme du passé. Quelqu'un a dit: «Une intention claire, nette et précise se réalise toujours.»

Comme je l'ai écrit précédemment, choisir d'entretenir des relations positives et soutenantes est primordial dans le rétablissement de l'estime de soi. J'aime encore beaucoup cette comparaison que je mimais quand j'animais mon atelier de base «Le Jeu de la Vie», au Centre Jonathan le Goëland dans les années 80:

Tu peux être la prune la plus juteuse, la plus belle, la meilleure au monde. Tout le monde n'aime pas les prunes!

Il y a des personnes qui préfèrent les bananes. Si tu es une prune, n'essaie pas d'être une banane parce que tu seras toujours une banane de second ordre et les gens te mépriseront d'essayer d'être autre chose que ce que tu es. De plus, tu n'y arriveras jamais! Même si tu réussis à te ramollir, à changer ta couleur, même si tu parviens à t'étirer et à prendre la forme d'une banane, malgré tous tes efforts pour plaire, il te sera impossible de répondre aux critères de la banane. Tu resteras toujours pris avec ton identité de prune qui, au cœur d'elle-même, a un gros NOYAU bien ferme!

Je crois que nous devons arrêter cette folie collective de vouloir essayer de plaire à tout le monde, comme si c'était possible! Être gentils à tout prix, quitte à nous prostituer pour des miettes de reconnaissance calculée, cacher notre vraie identité pour ne pas «faire de vague» et ne pas déranger la pseudo-tranquillité des gens qui nous entourent, tous ces comportements malsains nous rendent malade et finissent par nous isoler les uns des autres. Nous sommes pathétiques lorsque nous sommes dans le «paraître» et le «faire semblant». Pourquoi toute cette mascarade qui nous empêche d'être nous-même? C'est pour éviter de revivre cette expérience que nous avons tous expérimentée par le passé et qui nous effraie tant: le rejet. Et on n'en meurt pas! De toute façon, quelqu'un qui ne t'accepte pas tel que tu es t'a déjà rejeté!

Entendu dernièrement: «Tout ce qui ne nous tue pas nous fait grandir!» Et comme nous sommes sur la terre pour évoluer, nous n'avons qu'à remercier nos maîtres-enseignants-du-rejet qui font un travail superefficace avec cette arme de prédilection. Du même coup, ils nous permettent, par ces expériences souvent douloureuses, de renforcer nos muscles de l'estime que nous avons pour nous-même.

Jésus a dit: «*La vérité vous affranchira.*» Mais d'autres ont dit: «*Toute vérité n'est pas bonne à dire.*» À mon avis, les deux sont des vérités que nous pouvons appliquer dans notre vie pour autant que ce soit l'amour et non la peur qui nous motive à mettre en pratique l'un ou l'autre de ces concepts. Quoi que nous entreprenions, une façon rassurante d'agir et de vérifier notre intention est de nous poser cette question:

**«Est-ce que j'agirais par amour
ou parce que j'ai peur?»**

Lorsque nous choisissons d'expérimenter consciemment l'amour (de nous-même et des autres), nous sommes automatiquement libérés de la peur parce que l'amour fait confiance. Ainsi rassurés, nous pouvons sortir de notre cachette et nous laisser voir au monde dans toute notre splendeur d'êtres humains imparfaits en cheminement. John Bradshaw écrit: «*Le courage d'être imparfait donne lieu à un style de vie caractérisé par la spontanéité et l'humour.*»

Quant à moi, je te félicite! Tu as fait un grand voyage dans les profondeurs de ton âme et il t'a fallu beaucoup t'aimer pour en arriver à la fin de ce livre. Relever le défi de rebâtir l'estime que tu as pour toi-même te demandera encore du courage et de la persévérance; tu expérimenteras des moments d'extase, mais aussi des moments de découragement, des «Quossadonne?» comme le dit si bien mon humoriste préféré, Yvon Deschamps. Mais tu ne le regretteras pas! Après quelques expériences valorisantes pour qui tu es vraiment, tu ne voudras plus revenir en arrière et rester dans la médiocrité et infidèle à toi-même. De toute façon, tu ne le pourras plus! C'est irréversible: une fois engagé sur cette route enthousiasmante, mais souvent difficile (il faut bien l'admettre), que sont la découverte et la manifestation de ta vraie nature, tu ne voudras plus te satisfaire d'une vie tiède et qui n'aurait pas de sens valable.

En poursuivant ton travail d'amour pour continuer de découvrir ta grande valeur en tant que personne, tu seras prêt à manifester le meilleur de toi-même dans tout ce que tu entreprendras, à donner et à exiger le respect parce que tu connaîtras ta vraie identité: celle d'une créature divine en évolution.

Si seulement tu as saisi que les résultats que tu crées dans les différents domaines de ta vie sont les reflets de l'estime que tu as pour toi-même et que ce concept te motive à passer à l'action, alors, j'aurai répondu à ma raison d'être sur cette planète qui est d'évoluer et de servir. D'ailleurs, dans cette entreprise d'écriture, c'est probablement moi qui aurai le plus grandi! Motivée par l'amour que je ressens en pensant à toi et en te parlant directement, je me suis sentie encouragée à me dépasser et soutenue dans mon cheminement qui, comme le tien, n'est pas facile mais toujours stimulant, enthousiasmant et très vivant.

Merci d'être dans ma vie et d'avoir été ouvert à ce que je te partage ma façon de voir la Vie. C'est mon point de vue et il y en a bien d'autres tout aussi valables. Comme je le conseillais dans mes ateliers: surtout, ne me crois pas! Fais-en l'expérience et choisis ce qui te convient pour ta vie présente.

Je te souhaite une belle vie inspirée d'amour pour toi-même ainsi que pour tes frères et sœurs humains de la planète.

J'ai un cadeau pour toi: ce texte inspirant que j'ai retrouvé dans mes trésors d'animatrice d'ateliers en connaissance de soi. Je ne connais pas l'auteur de ce texte et je m'en excuse auprès de cette belle personne.

Me laisser aimer

Me laisser aimer me demande une grande confiance en moi.
Il me faut reconnaître mes capacités, mes talents,
Et m'aimer moi-même assez pour croire que d'autres puissent s'intéresser à moi.
Me laisser apprivoiser me demande de l'humilité.
J'ai souvent très peur de me laisser aimer.
Mon ego est souvent une barrière à recevoir l'amour.
L'enfant se laisse aimer dans sa simplicité
Sans se demander s'il me mérite.
Comme si je devais mériter tout ce qui m'arrive de beau et de bon!
Je défends mon intimité aux autres par peur de leurs exigences.
Si je reçois de l'amour, je devrai en rendre,
Et j'ai peur d'y perdre ainsi ma liberté.
Et pourquoi m'aimerait-on, juste pour moi, sans rien en échange?
Mon ego me dit que je n'ai besoin de personne,
Que je me suffis à moi-même.
Pourtant, combien de fois suis-je passé à côté
De merveilleuses expériences à cause de mes peurs!
Si je suis vraiment moi-même, si je me laisse aller,
J'ai besoin de me faire dire que je suis aimé.
Et, peut-être davantage si je ne sais pas le dire aux autres!
Je veux me laisser apprivoiser doucement, tout doucement.
Je choisis de croire que je n'ai rien à craindre puisque...
Je suis divinement protégé par l'Amour divin en moi.

MERCI!

Auteurs inspirants

BACH, Richard, Paris, Flammarion.

BOURBEAU, Lise, Saint-Sauveur-des-Monts, Éditions ETC.

BRADSHAW, John, Montréal, Le Jour.

BUSCAGLIA, Leo, Montréal, Le Jour.

BUTTERWORTH, Eric, Paris, Éditions Astra.

DUBOIS, Madeleen, Montréal, Éditions Quebecor.

DYER, Dr Wayne, Boucherville, Éditions De Mortagne.

FROMM, Erich, Montréal, Sélect.

GABOURY, Placide, Boucherville, Éditions De Mortagne.

GAWAIN, Shakti, Genève, Éditions Soleil.

GRAY, JOHN, New York, Harper Collins publishers.

HAYE, Louise, Genève, Éditions Soleil.

JAMPOLSKY, Dr Gerald, Genève, Éditions Soleil.

MARQUIER, Annie, Éditions Universelles du Verseau.

MONBOURQUETTE, Jean, Ottawa, Novalis.

MOORE, Thomas, Paris, Flammarion et J'ai lu.

PECK, Scott, Paris, Robert Laffont.

REDFIELD, James, Paris, Robert Laffont.

ROMAN, Sonaya, Genève, Éditions Soleil.

SALOMÉ, Jacques, Montréal, Éditions de l'Homme.

VANZANT, IYANLA, New York, Simon & Schuster.

WALSCH, Neale Donald, Montréal, Éditions Ariane.

WILLIAMSON, Marianne, Éditions du Roseau.

Table des matières

Première partie
Nos origines spirituelles

Deuxième partie
Nos origines humaines

Troisième partie
Rétablissement et guérison de nos blessures

Liste des exercices d'intériorisation